Une histoire du Québec
racontée par
Jacques Lacoursière

Une histoire du Québec racontée par Jacques Lacoursière

Une première version du présent texte de Jacques Lacoursière est parue dans un livre de luxe édité par Henri Rivard à l'automne 2001 sous le titre *Histoire du Québec*. Nous remercions l'éditeur Henri Rivard pour sa collaboration.

Les éditions du Septentrion remercient le Conseil des Arts du Canada et la Société de développement des entreprises culturelles du Québec (SODEC) pour le soutien accordé à leur programme d'édition, ainsi que le gouvernement du Québec pour son Programme de crédit d'impôt pour l'édition de livres. Nous reconnaissons également l'aide financière du gouvernement du Canada par l'entremise du Programme d'aide au développement de l'industrie de l'édition (PADIÉ) pour nos activités d'édition.

Chargés de projet : Catherine Broué et Denis Vaugeois

Photo : Louise Bilodeau

Révision : Solange Deschênes

Mise en pages et couverture : Folio infographie

Si vous désirez être tenu au courant des publications
des ÉDITIONS DU SEPTENTRION
vous pouvez nous écrire au
1300, av. Maguire, Sillery (Québec) G1T 1Z3
ou par télécopieur (418) 527-4978
ou consultez notre catalogue sur Internet :
www.septentrion.qc.ca

© Les éditions du Septentrion, 2002
1300, av. Maguire
Sillery (Québec)
G1T 1Z3

Diffusion au Canada :
Diffusion Dimedia
539, boul. Lebeau
Saint-Laurent (Québec)
H4N 1S2

Dépôt légal – 1er trimestre 2002
Bibliothèque nationale du Québec
ISBN 978-2-89448-322-0

Ventes en Europe :
Librairie du Québec
30, rue Gay-Lussac
75005 Paris

Préface

Si Lord Durham avait rencontré Jacques Lacoursière, il n'aurait sûrement pas écrit à propos des Canadiens français qu'ils étaient « un peuple sans histoire et sans littérature ». En fait, au Québec, le nom de Jacques Lacoursière est synonyme d'histoire. Du premier numéro du *Journal Boréal Express* en 1962 à cette *Histoire du Québec* qu'il publie en ce début du XXIe siècle, Jacques Lacoursière a consacré sa vie professionnelle à la recherche et à la vulgarisation de notre aventure collective commencée avec Jacques Cartier en 1534.

La liste des publications de Jacques Lacoursière est impressionnante et commande le respect. De 1968 à 1983, les jeunes Québécois ont découvert leur histoire nationale en se référant au manuel écrit en collaboration avec Denis Vaugeois et Jean Provencher, *Canada-Québec, synthèse historique*. Deux ans à peine après la crise d'Octobre, Jacques Lacoursière publiait *Alarme, citoyens. L'affaire Cross-Laporte*. Dans ce livre introuvable depuis des années, il relatait et expliquait les événements d'octobre après avoir retracé l'évolution du FLQ depuis le début des années soixante. Fait révélateur de la diversité de ses intérêts, il publiait coup sur coup, en 1971 et 1972, des dossiers sur le Québec et la révolution américaine et les troubles de 1837-1838. De 1979 à 1982, il rédige avec Hélène-Andrée Bizier la série *Nos racines. Histoire vivante des Québécois*, une véritable mine de renseignements non seulement sur l'histoire politique, mais surtout sur la vie quotidienne des gens, présentée de façon fort divertissante. En fait, une des forces de Jacques Lacoursière est ce don inné qu'il a de marier la grande histoire et la vie quotidienne. Sa connaissance des archives, des journaux, des mandements des évêques et de la correspondance des personnages qui ont fait notre histoire lui permet d'illustrer son propos d'anecdotes savoureuses qui nous font sentir l'atmosphère et le mode de vie d'une époque.

Présent au petit écran dans des émissions comme *Épopée en Amérique* et *L'Histoire à la une*, Jacques Lacoursière a également contribué à des séries radiophoniques diffusées sur la chaîne culturelle de Radio-Canada telles que *La révolution française à la mode de chez nous*, *On appelait cela la Grande Dépression* et *La Deuxième Guerre mondiale et l'opinion publique*. Dans ces trois séries, Jacques a démontré son grand talent de communicateur et sa connaissance encyclopédique de notre histoire.

Dans cette *Histoire du Québec*, œuvre de grande maturité, Jacques Lacoursière nous livre à la fois une synthèse et une réflexion sur l'histoire du Québec. Véritable tour de force, il réussit à retracer l'évolution de la société québécoise en intégrant dans son texte les grands événements politiques, la vie quotidienne, les débats d'idées et l'opposition entre les éléments conservateurs et progressistes qui ont forgé le destin du Québec.

Au-delà de l'amitié et du respect que j'ai pour Jacques Lacoursière, je ne peux m'empêcher de reconnaître la qualité de ce livre qui demeure d'abord et avant tout le fruit de plus de quarante années de recherche et de réflexion sur l'histoire du Québec. Le grand mérite de Jacques Lacoursière est d'avoir stimulé, tout au long de sa carrière, l'intérêt du public pour l'histoire du Québec.

ANDRÉ CHAMPAGNE

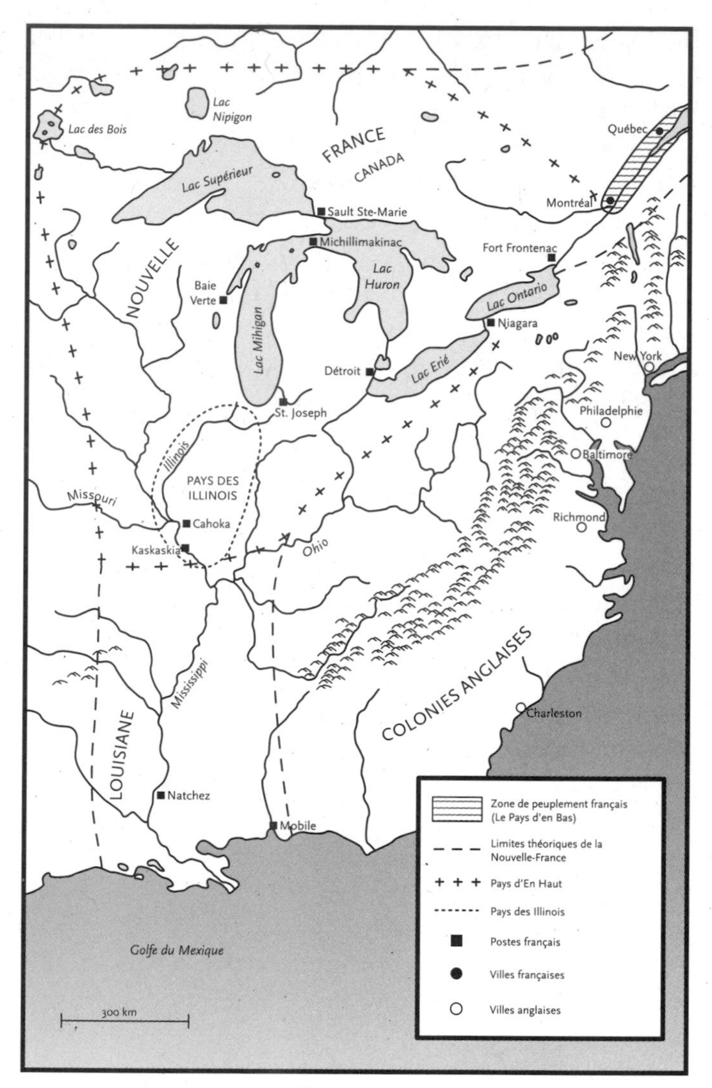

La Nouvelle-France après 1713

Des débuts plutôt pénibles

LE 24 JUILLET 1534 marque le début de l'histoire « officielle » du Québec. Ce vendredi-là, des hommes du capitaine malouin Jacques Cartier plantent une croix sur la pointe de Gaspé. Sur le croisillon, ils ont installé un écusson sur lequel figurent trois fleurs de lys et un écriteau portant l'inscription : « Vive le roi de France ». « Après qu'elle fut élevée en l'air, lit-on dans le récit du premier voyage de Cartier, nous nous mîmes tous à genoux, les mains jointes, en adorant celle-ci. » Par des gestes, les Français tentent de faire comprendre aux autochtones qui assistent à la cérémonie en montrant le ciel « que par celle-ci était notre rédemption ».

Les autochtones ne se rendent pas compte que ce qui vient de se passer constitue une prise officielle de leur territoire au nom du roi de France. Ils ignorent que, pour les Européens, toute portion de terre qui n'appartient pas à un souverain chrétien peut devenir leur possession par ce simple geste. Mais Donnacona, leur chef, a l'intuition que ce qui se passe est quelque chose de grave. Pour lui et les siens, « notre Mère la Terre » appartient à tous et ces Français n'ont pas demandé de permission pour installer cette croix. Peu après, Donnacona se rend en canot près du navire français. Il veut faire remarquer que cette terre leur appartient et qu'il aurait fallu leur demander une permission avant de planter la croix. Cette dernière, explique alors Cartier, n'est rien d'autre qu'une balise pour indiquer l'entrée du port. A beau mentir qui vient de loin ! Puis, des marins s'emparent des deux fils du chef iroquoien. Selon la coutume, on les amènera en France comme preuve que l'on s'est rendu dans un nouveau coin du monde.

Celui que l'on a considéré pendant longtemps comme « le découvreur du Canada » n'était en fait pas le premier Européen à se rendre sur le territoire de ce qui constitue le Québec actuel. Depuis des décennies, des Français, des Anglais, des Portugais, des Espagnols, des Basques et des Européens du Nord venaient pêcher la morue sur les bancs de Terre-Neuve. Ce poisson était d'une grande importance dans l'alimentation des catholiques. À l'époque, il y avait 150 jours par année où l'abstinence était obligatoire, c'est-à-dire 150 jours où il était défendu de manger d'autre chair que celle du poisson, sous peine de péché mortel !

Mais, bien avant que des Européens commencent à fréquenter le continent qui ne prendra le nom d'Amérique qu'en 1507, celui-ci était habité depuis plusieurs dizaines de milliers d'années. Dans la vallée du Saint-Laurent, la présence autochtone a été un peu plus tardive. Il fallait laisser le temps aux glaciers de fondre et à la mer Champlain de se vider. Selon les régions, les recherches archéologiques révèlent une occupation remontant à huit mille à dix mille ans.

Les deux autochtones que Cartier ramène avec lui en France soulèvent de l'intérêt. Ils sont présentés à la Cour, ils apprennent assez rapidement quelques mots de français et ils sont surpris de la façon dont les parents élèvent leurs enfants. Chez les Indiens, il n'est pas question de réprimander les enfants en leur donnant des coups, alors que la chose est courante en France.

En 1535, Jacques Cartier effectue un deuxième voyage au Nouveau-Monde. Grâce aux deux autochtones, il connaît l'existence d'un fleuve qui lui permettra de pénétrer plus profondément à l'intérieur du continent. Il espère ainsi trouver le chemin qui le conduira en Chine. Comme d'autres explorateurs, il est à la recherche d'un moyen de se rendre dans les pays d'où viennent les épices, un produit dont le prix a considérablement augmenté avec la prise de Constantinople par les Turcs, au milieu du XVe siècle.

Les Français se rendent jusqu'à Stadaconé, qui prendra le nom de Québec au siècle suivant. L'établissement est au centre d'une région que l'on appelle « le royaume de Canada », ce toponyme étant d'origine iroquoienne et signifiant « amas de petites cabanes ». Après une rapide visite à Hochelaga, un important village autochtone situé sur l'île de Montréal, Cartier et ses hommes connaissent les rigueurs de leur premier hiver en terre nord-américaine. Au début du mois de mai 1536, avant de lever l'ancre pour retourner en France, Cartier fait à nouveau planter une croix sur laquelle figurent les armes de la France et une inscription en langue latine disant « François Ier régnant, par la grâce de Dieu roi des Français », ce qui est, en quelque sorte, une nouvelle prise de possession du territoire !

À l'instar des Espagnols et des Portugais qui ont établi des colonies en Amérique, les Français veulent faire de même dans la vallée du Saint-Laurent. En 1541, Cartier, qui est devenu le second de Jean-François de La Rocque, sieur de Roberval, traverse à nouveau l'océan avec des centaines de colons, dont plusieurs ont été tirés des prisons. Il retournera brusquement en France, croyant apporter avec lui les richesses du Nouveau-Monde: de l'or et des diamants. Au même moment, Roberval arrive à Terre-Neuve avant de remonter le fleuve Saint-Laurent. Leur expédition se soldera par un échec d'autant plus cuisant que les « richesses » de Cartier n'étaient que du quartz et de la pyrite de fer!

Ainsi se termine la première partie de l'histoire de la présence « officielle » de la France en terre québécoise. Il faudra attendre plus d'un demi-siècle avant que l'on songe à s'établir en permanence dans la vallée du Saint-Laurent. Mais cela ne signifie pas que la vallée du Saint-Laurent soit délaissée. Régulièrement, des Basques et des Français viennent y faire la traite des fourrures et la pêche. La rivalité est grande entre eux. Ainsi, en 1587, Jean et Michel Noël, deux petits-neveux de Jacques Cartier, ont à affronter d'autres traiteurs à qui ils font concurrence.

Dès le tout début du XVIIe siècle, les richesses de la Nouvelle-France attirent de plus en plus de commerçants et d'investisseurs. Le roi Henri IV veut, lui aussi, avoir une colonie au Nouveau-Monde. Déjà, en janvier 1598, Troilus de La Roche de Mesgouez avait obtenu de lui des lettres patentes le nommant « lieutenant général des pays de Canada, Terre-Neuve, Labrador et Norembègue ». Sa tentative d'établir une colonie à l'île de Sable sera un échec, tout comme celle de Pierre de Chauvin de Tonnetuit à Tadoussac, en 1601. Il en sera de même à l'île Sainte-Croix, en Acadie. Par ailleurs, à Port-Royal, la présence française sera interrompue pendant un certain temps. Il faudra attendre l'ouverture d'un poste de traite à Québec pour qu'il y ait une occupation continue jusqu'à nos jours.

Le développement d'une colonie anglaise en Virginie, ce qui peut constituer une menace pour l'Acadie, et surtout la perte de son monopole de traite des fourrures amènent Pierre Du Gua de Monts à choisir un autre endroit pour installer une petite colonie qui serait plus près des lieux d'approvisionnement en peaux de bêtes. La pointe de Québec, dans la vallée du Saint-Laurent, lui paraît l'endroit idéal. Il charge donc Samuel de Champlain, qu'il a nommé son lieutenant, de se rendre à cet endroit où le fleuve Saint-Laurent se rétrécit pour y construire une habitation et diriger une petite équipe d'hommes. Le 3 juillet 1608, commence la construction d'un corps de logis qui sera fortifié. La chose ne plaît pas aux Basques qui, dans la région de Tadoussac, considèrent qu'un poste permanent en amont ne peut que leur causer préjudice. Ils convainquent quelques hommes de Champlain de l'assassiner. Le projet échoue et un des conjurés, Jean Duval, est pendu. Au cours du premier hivernement à Québec, 20 de 28 hommes mourront du scorbut.

Lors de son premier voyage « en Canada » en 1603, Champlain avait promis aux Montagnais de Tadoussac qu'il les aiderait dans leur guerre contre les Iroquois. Six années plus tard, il doit tenir sa promesse. Accompagné de deux autres Français, il se rend en Iroquoisie. Il traverse alors un lac auquel son nom sera attribué : le lac Champlain. La participation des Français aux côtés des Algonquins et des Hurons fera des Iroquois des ennemis irréductibles. À part quelques périodes d'accalmie, commence alors près d'un siècle de guerre et de tension. Il faut cependant remarquer qu'il aurait été impensable que Champlain s'aliène les autochtones avec qui il faisait la traite des fourrures pour s'allier à des nations qui vivaient au loin. En effet, si, à l'époque de Jacques Cartier, les régions de Québec et de Montréal étaient occupées par des Iroquoiens, lors de la fondation de Québec, ces derniers avaient quitté la vallée du Saint-Laurent et des nations algonquiennes les avaient remplacés. Leur disparition aurait été due à la maladie ou à des guerres.

Pendant au moins une décennie, Québec est d'abord et avant tout un poste de traite des fourrures. La recherche de nouveaux centres d'approvisionnement amènera Champlain à explorer diverses régions. Ce n'est que graduellement que ce dernier se convaincra que l'établissement qu'il dirige pourra devenir la base d'une importante colonie française en Amérique du Nord. L'arrivée d'un premier colon et de sa famille, en 1617, ne plaira pas aux détenteurs du monopole, mais changera le contexte. Pour Champlain, la France se doit de développer une colonie en Amérique du Nord, sinon l'Angleterre et la Hollande s'empresseront de jeter les bases d'établissements dans la vallée du Saint-Laurent.

Dans la métropole, le cardinal de Richelieu, principal ministre du roi Louis XIII, décide, en 1627, de s'occuper personnellement de la petite colonie. Il crée la Compagnie de la Nouvelle-France, qui sera formée de cent associés. Pour financer ses activités, dont la principale est l'obligation d'envoyer en terre canadienne 4000 colons des deux sexes au cours des 15 années suivantes, la compagnie obtient le monopole de la traite des fourrures. Plusieurs mesures sont mises de l'avant pour inciter les Français à émigrer dans la vallée du Saint-Laurent ; ou garantit le logement et la nourriture pour une durée de trois années ainsi que la possibilité d'obtenir le titre de maître valable en France si l'on exerce un métier pendant six années dans la colonie. Comme, à cette époque, Richelieu lutte contre les protestants, il exige que seuls des catholiques aient le droit de s'établir en Nouvelle-France. Les Juifs aussi seront interdits de séjour.

Le recrutement des nouveaux colons va bon train et, au printemps de 1628, 400 personnes s'embarquent à destination de Québec. Depuis l'année précédente, la guerre fait rage entre la France et l'Angleterre. Sur l'océan, les combats sont fréquents entre les navires des deux nations. À la hauteur de Rimouski, les quatre navires français qui transportent les colons sont attaqués et défaits. C'est un coup dur pour la Compagnie de la Nouvelle-France qui avait engagé la majeure partie de ses avoirs dans cette expédition.

Les navires anglais sont sous le commandement des frères David, Thomas et Lewis Kirke qui somment Champlain de capituler. Ils essuient un refus. Mais, en juillet 1629, Québec doit se rendre et sera un poste anglais pendant trois années. Ironie du sort, au moment où les Kirke s'emparent de Québec, la paix est intervenue entre les deux métropoles trois mois auparavant ! Il faudra quand même attendre l'an 1632 pour que la colonie soit remise à la France.

Dans l'espoir de remplir son engagement de peuplement, la Compagnie de la Nouvelle-France fait appel à un mode particulier de concession des terres. En 1634, elle concède à Robert Giffard une seigneurie qui prendra le nom de Beauport. Le nouveau seigneur, dont le territoire mesure une lieue de front sur une lieue et demie de profondeur, doit, à son tour, concéder des lots à de nouveaux colons qu'il est chargé de recruter. De nombreuses seigneuries seront octroyées par la suite et ce système de peuplement, qui n'a rien à voir avec le féodalisme français, marquera une bonne partie du territoire québécois.

Comme le fleuve et les rivières sont les principales voies de communication, la plupart des seigneuries, dans leur partie la plus étroite, débouchent sur un cours d'eau. Les terres concédées sont de formes rectangulaire, mesurant souvent trois arpents de front sur 20, 30 ou 40 arpents de profondeur. Cette façon d'occuper le territoire donnera l'impression d'un vaste village qui s'étend de Québec à Montréal sur les deux rives du Saint-Laurent.

Dans le régime seigneurial, seigneurs et censitaires (nom donné à ceux qui obtiennent une concession en raison de la rente annuelle qu'ils doivent payer, appelée « cens ») ont des droits et des devoirs. Le seigneur doit tenir feu et lieu dans sa seigneurie et construire un moulin banal où les censitaires font moudre leurs grains dont ils doivent remettre le 14e minot. Il a droit à des honneurs particuliers. S'il ne voit pas au peuplement de sa seigneurie, il peut en perdre la possession. Le contrat de concession précise le nombre de jours de corvées auxquels sont soumis les censitaires. Le seigneur lui aussi est corvéable les jours décrétés par l'administration de la colonie. L'espoir d'avoir une terre à d'aussi bonnes conditions incitera plusieurs Français à émigrer en Nouvelle-France où la vie sera beaucoup plus libre qu'en métropole.

L'année même où Giffard obtient sa seigneurie et y installe ses premiers colons, Champlain ordonne l'établissement d'un nouveau poste de traite à Trois-Rivières. Cet endroit deviendra pour les Iroquois une nouvelle destination pour leurs attaques-surprises.

L'augmentation du nombre d'habitants et le désir que nourrissent plusieurs de convertir les autochtones au christianisme expliquent l'arrivée de religieux. Les Récollets seront les premiers, en 1615, mais ils n'obtiendront pas la permission de revenir en 1632. Quant aux missionnaires jésuites, ils seront présents à partir de 1625, sauf durant l'occupation anglaise. En 1635, l'année du décès de Champlain, ils commenceront à offrir le cours classique. Quatre années plus tard, arrivent les premières religieuses ursulines qui verront à l'éducation des petites Françaises et des petites autochtones. La même année, des religieuses hospitalières ouvriront un hôtel-Dieu, le premier hôpital de la colonie.

En France, la Contre-Réforme donne un nouveau souffle à la religion catholique. Certains se donnent pour mission l'évangélisation des Indiens. Ils se regroupent au sein de la Société Notre-Dame de Montréal qui veut établir une colonie mystique sur cette île située en amont du poste de Trois-Rivières. Un premier groupe de colons, dirigé par Paul de Chomedey de Maisonneuve, arrive à Québec à l'automne 1641, trop tard pour songer à remonter le fleuve jusqu'à la destination finale. À cette époque, les Iroquois ont déjà commencé à attaquer à divers endroits. Charles Huault de Montmagny, le premier gouverneur en titre de la Nouvelle-France, cherche à convaincre Maisonneuve de s'installer de préférence sur l'île d'Orléans, moins sujette aux attaques iroquoises, ce que refusera le chef des « Montréalistes », selon le nom par lequel ils se désignent. Le 17 mai 1642, le petit groupe débarque sur l'île de Montréal et fondent Ville-Marie, toponyme qui marque bien le but mystique de la future ville de Montréal que l'on place sous la protection de la Vierge Marie.

Ville-Marie sera un État dans l'État, échappant en bonne partie à l'autorité du gouverneur de la Nouvelle-France établi à Québec. Aux yeux de Maisonneuve, le développement de sa colonie ne se fait pas assez rapidement. Il faut du sang neuf, un arrivage massif de nouveaux colons. Alors qu'il s'apprête à partir pour la France, en 1651, Maisonneuve déclare : « Je tâcherai d'amener 200 hommes [...] pour défendre ce lieu ; que si je n'en ai pas du moins 100, je ne reviendrai point et il faudra tout abandonner, car aussi bien la place ne serait pas soutenable. » Il revient à l'automne de 1653 avec 120 personnes. On parlera alors de « la Grande Recrue ». Parmi les personnes recrutées, il y a Marguerite Bourgeoys dont la tâche sera l'enseignement aux jeunes enfants. Pour l'assister dans son œuvre et assurer sa permanence, elle fondera une communauté religieuse, la Congrégation de Notre-Dame de Montréal.

La décennie 1650 est marquée par plusieurs attaques iroquoises qui font des dizaines de morts. Le contrôle de la traite des fourrures est une des raisons de ces affrontements. Les Iroquois veulent être les seuls intermédiaires entre les fournisseurs de peaux et les Français. Ils entendent soumettre les Montagnais, les Hurons, les Algonquins ou toute nation désireuse de participer à la traite des fourrures. Celle-ci, il ne faut pas l'oublier, figure au premier rang dans l'économie de la colonie. Un arrêt dans l'approvisionnement peut avoir de graves conséquences. Ainsi, à la fin des années 1650, à cause des raids iroquois, les fourrures ne parviennent presque plus à Ville-Marie et à Québec. Selon mère Marie de l'Incarnation, supérieure des ursulines, il est même question d'abandonner la colonie et de rapatrier tout le monde en France. À l'été 1660, grâce à l'intervention d'un groupe de jeunes Montréalistes, commandé par Adam Dollard Des Ormeaux, une soixantaine de canots montés par 300 Outaouais, guidés par Pierre-Esprit Radisson et Médard Chouart des Groseilliers, arrivent à Ville-Marie avec assez de fourrures pour sauver la colonie de la faillite financière.

La situation demeure trop précaire. Il faut que les autorités françaises prennent des mesures si elles veulent conserver leur colonie nord-américaine. La régence du jeune roi Louis XIV s'achève et on espère que l'avènement de son règne personnel aura des conséquences bénéfiques pour la Nouvelle-France.

Samuel de Champlain est une véritable énigme. C'est un homme complet. Courageux, visionnaire, déterminé, il est aussi un excellent cartographe. Il sait utiliser avec beaucoup d'habileté les instruments de mesure de l'époque, dont l'astrolable que l'on voit ici.

Une colonie royale

L'ANNÉE 1663 marque un tournant dans l'histoire de la Nouvelle-France. Le roi Louis XIV décide de s'occuper lui-même de sa lointaine colonie. Son ministre Jean-Baptiste Colbert aura, pour un certain temps, une attention particulière pour le Canada qui ne désigne que la vallée du Saint-Laurent, alors que l'Acadie, Terre-Neuve et les Pays-d'en-Haut soit la région de Grands Lacs) constituent le reste de la Nouvelle-France. La colonie continuera d'être dirigée par un gouverneur, mais on lui adjoint un intendant. Ce dernier est, en quelque sorte, l'équivalent d'un ministre des Finances, de la Justice et du Commerce. Le gouverneur peut faire la guerre, mais c'est l'intendant qui la finance! De plus, cette direction bicéphale se complète d'un conseil souverain dont font automatiquement partie le gouverneur et l'évêque. Au début, les cinq conseillers sont nommés conjointement par les deux membres d'office. Ce conseil est le plus haut tribunal de la colonie. Cette réforme supposait la dissolution de la Compagnie de la Nouvelle-France.

Il faut d'urgence régler deux problèmes importants : la pacification des Iroquois et l'augmentation de la population. Le marquis Alexandre de Prouville de Tracy, « lieutenant général de toute l'étendue des terres de notre obéissance situées en l'Amérique Méridionale et Septentrionale, de terre ferme, et des isles, rivières, etc. », reçoit l'ordre de se rendre à Québec pour aller faire la guerre aux Iroquois. Le régiment de Carignan-Salières, dont le commandement appartient à Henri de Chastelard, marquis de Salières, se compose de 24 compagnies, soit 1200 hommes. Il débarque à Québec entre la mi-juin et la mi-septembre 1665. La première tâche des militaires sera de construire une série de forts sur les rives de la rivière Richelieu et sur une île du lac Champlain, soit le long de la route habituellement utilisée par les Iroquois. La présence d'une telle force armée incite trois des cinq nations iroquoises à signer une paix. Au cours de l'hiver 1665-1666, une expédition contre les deux autres nations, celle des Agniers et des Onneiouts, se termine par un échec. Nouvelle expédition l'été suivant. Prévenus de l'arrivée des Français, les autochtones fuient leurs villages qui seront détruits, tout comme les récoltes de maïs. Conscientes que le rapport de force est inégal, les deux nations acceptent à leur tour de faire la paix avec les Français, une paix qui durera 18 ans.

L'intendant Jean Talon, à la demande de Jean-Baptiste Colbert, principal ministre du roi Louis XIV, fait pression pour que soldats et officiers s'installent dans la colonie. Aux premiers, on promet des terres et, aux seconds, la concession de seigneuries. Le tiers des troupes, soit 403 personnes, acceptera l'offre qui leur est faite. L'historien Marcel Trudel résume ainsi les conditions offertes aux militaires : « On prévoit leur accorder des terres, en les aidant dans leur première installation : leur fournir vivres et outils et leur payer la culture des deux premiers arpents qu'ils défricheront et brûleront; en retour, ils feront le même travail sur deux autres arpents pour les familles qu'on attend de France. »

Au cours de la seconde moitié des années 1660, la population de la colonie augmente rapidement. En 1666, selon le recensement reconstitué par l'historien Trudel, le nombre d'habitants des deux sexes est de 4 219 personnes. Les hommes, surtout en raison des engagés, c'est-à-dire de ceux qui ont signé des contrats d'engagement d'une durée habituelle de trois années, sont beaucoup plus nombreux que les femmes. Ainsi, en 1663, on dénombrait six hommes célibataires pour une femme! L'équilibre sera rétabli par la venue dans la colonie de «filles à marier». Certaines viendront avec leur famille ou seules en fournissant elles-mêmes la dot requise, d'autres seront dotées par le roi. Ces dernières seront connues sous l'appellation de «filles du roi». Bon nombre de ces dernières viendront de la Salpêtrière, c'est-à-dire de l'Hôpital Général de Paris. L'arrivée des «filles du roi» s'échelonnera de 1663 à 1673. Elles auraient été environ 850.

Pour le roi, il faut que garçons et filles se marient jeunes. Le 5 avril 1669, il signe un édit stipulant «qu'il soit établi une peine pécuniaire, applicable aux hôpitaux des lieux, contre les pères qui ne marieront pas leurs enfants à l'âge de vingt ans pour les garçons et de seize ans pour les filles». L'année suivante, les célibataires endurcis se voient menacés d'«être privés de la liberté de toute sorte de chasse et de pêche et de la traite avec les Sauvages et de plus grande peine si nécessaire», s'ils ne contractent pas mariage dans un délai précis. Pour inciter les couples à avoir plusieurs enfants, l'intendant établit un genre de système d'allocations familiales : « À l'avenir, les habitants dudit pays qui auront jusqu'au nombre de dix enfants vivants, nés en légitime mariage, ni prêtre, ni religieux, ni religieuses, seront payés des deniers qu'elle [la royauté] enverra audit pays, d'une pension de 300 livres par an chacun, et ceux qui en auront douze, de 400 livres ».

En 1673, l'équilibre des sexes est à peu près rétabli. Il ne sera plus nécessaire de faire venir des « filles à marier ». La population est alors d'environ 6 700 habitants, ce qui est bien peu comparé à celle de la Nouvelle-Angleterre qui dépasse 120 000 habitants. Talon se rendra compte que son rêve de « former du Canada un grand et puissant État » ne plaît pas aux autorités françaises. Colbert lui fait remarquer qu'« il ne serait pas de la prudence de dépeupler son royaume comme il faudrait pour peupler le Canada ». Déçu, l'intendant répond : « Je n'aurai plus l'honneur de vous parler du grand établissement que ci-devant j'ai marqué pouvoir se faire en Canada à la gloire du roi et l'utilité de son État, puisque vous connaissez qu'il n'y a pas dans l'ancienne France assez de surnuméraires et de sujets inutiles pour peupler la Nouvelle. »

Celles et ceux qui ont décidé de demeurer en permanence dans la partie canadienne de la Nouvelle-France commencent à se distinguer des Français de passage. Ils deviennent des « Canadois » ou des « Canadiens ». Selon les recherches de l'historien Gervais Carpin, le nouvel ethnonyme apparaît timidement au cours des années 1660. Ces Canadiens préféreront se faire appeler « habitants » plutôt que « paysans ». Le voisinage des Indiens influencera leur manière de vivre: rapidement, ils adopteront leurs moyens de transport. Dans son *Histoire véritable et naturelle des mœurs et productions du pays de la Nouvelle-France vulgairement dite le CANADA*, ouvrage publié à Paris en 1664, Pierre Boucher écrit: « On se promène partout sur les neiges par le moyen de certaines chaussures faites par les Sauvages, qu'on appelle raquettes, qui sont fort commodes. » Le canot devient lui aussi nécessaire pour naviguer sur les rivières et les lacs. Les coureurs de bois n'auraient pu faire la traite des fourrures sans l'utilisation du canot et des raquettes.

Le ministre Colbert fait pression sur l'intendant Talon pour que celui-ci prenne les mesures nécessaires pour franciser les Amérindiens. Il lui écrit de « tâcher à civiliser les Algonquins, les Hurons et les autres Sauvages qui ont embrassé le christianisme et les disposer à se venir établir en communauté avec les Français pour y vivre avec eux et dans nos coutumes ». Mais, comme le fait remarquer Marie de l'Incarnation: « On fait plus facilement un Sauvage avec un Français que l'inverse. »

Grâce à l'aide des Amérindiens, les Français vont pouvoir agrandir le territoire de la Nouvelle-France par une série de voyages d'exploration qui seront souvent marqués par des prises de possession. Ainsi, à la mi-juin 1671, au Sault-Sainte-Marie, en présence de représentants de 14 nations autochtones, Simon-François Daumont de Saint-Lusson prend possession officielle d'un territoire immense au nom du roi de France: « Ledit lieu Sainte-Marie-du-Sault, comme aussi des lacs Huron et Supérieur, île de Caientoton et de tous les autres pays, fleuves, lacs et rivières contiguës et adjacentes, iceux tant découverts qu'à découvrir qui se bornent d'un côté aux mers du Nord et de l'Ouest, et de l'autre côté à la mer du Sud comme de toute leur longitude et profondeur». L'année précédente, le roi Charles II d'Angleterre avait concédé à la Compagnie des Aventuriers d'Angleterre, qui sera plus connue sous l'appellation de Compagnie de la Baie d'Hudson, le territoire connu des Français comme étant la mer du Nord «ainsi que [...] tous les terrains, pays et territoires sur les côtes et confins des mers, détroits, lacs, rivières et ruisseaux précités qui ne sont pas actuellement en la possession réelle d'aucun de nos sujets ou de sujets de tout autre prince ou État chrétien». La possession réelle suppose l'occupation effective. Un vaste champ de bataille entre la France et l'Angleterre vient de s'ouvrir!

Les voyages d'exploration vers le Sud et l'Ouest n'engendrent pas immédiatement de problèmes avec les autorités de la Nouvelle-Angleterre. Ces voyages ont un triple but: rechercher la route qui conduirait en Chine et au Japon, agrandir le territoire de la Nouvelle-France et ouvrir de nouvelles zones d'exploitation de la fourrure. Ainsi, en 1673, le Canadien Louis Jolliet et le missionnaire jésuite Jacques Marquette partent à la recherche du fameux fleuve Mississippi dont parlent abondamment les Amérindiens. Des guides autochtones favorisent leur avancée en territoire «inconnu». Ils descendent le «Père des Eaux» jusqu'à l'actuelle frontière séparant l'État de l'Arkansas de celui de la Louisiane. Pour eux, la conclusion la plus importante de leur voyage, c'est que le Mississippi ne se jette pas du côté de la Californie. Ce sera René-Robert Cavelier de La Salle qui, en 1682, se rendra jusqu'à l'embouchure du grand fleuve. Le 9 avril de cette année-là, il prend possession de la

Louisiane au nom du roi de France. Apprenant la nouvelle, Louis XIV aura un commentaire plutôt lapidaire: « La découverte du sieur de La Salle est fort inutile. » Malgré tout, Québec devient le cœur d'un vaste empire!

En 1689, le « cœur » est menacé. Une nouvelle guerre éclate entre la France et l'Angleterre. Depuis deux ans, la paix entre la colonie et les Iroquois est devenue chose du passé. Le gouverneur Jacques-René de Brisay de Denonville s'était emparé par ruse d'une quarantaine de chefs iroquois qui avaient été expédiés sur les galères françaises de la Méditerranée. Forts de l'appui et de l'aide des autorités de la Nouvelle-Angleterre, dès l'annonce de la reprise de la guerre, des Iroquois attaquent le petit village de Lachine qui constitue le point de départ vers les Pays-d'en-Haut, où se fait la traite des fourrures. Les colonies anglaises, dont la population atteint 160 000 habitants, réclament alors la conquête du Canada où ne vivent que 10 700 âmes.

Louis de Buade, comte de Frontenac, qui avait été gouverneur de la Nouvelle-France de 1672 à 1682, revient sept années plus tard. Un de ses premiers projets, c'est la conquête de la Nouvelle-York (New York) et la déportation de la population protestante, projet qui ne se réalisera pas. Comme il ramène avec lui les galériens iroquois qui ont survécu, il espère que les cinq nations iroquoises n'attaqueront pas les établissements français. Au cours des premiers mois de 1690, trois expéditions contre des villages de la Nouvelle-Angleterre s'organisent. Les Canadiens, accompagnés d'Amérindiens alliés, sèment la mort et la terreur, ce qui amène le pasteur bostonnais Cotton Mather à prêcher une croisade contre les habitants de la vallée du Saint-Laurent. Son mot d'ordre est clair : « Canada must be reduced ».

Alors qu'une flotte de 32 navires doit remonter le fleuve Saint-Laurent pour s'emparer de Québec, une armée doit descendre la rivière Richelieu puis, après avoir réduit Montréal à l'impuissance, marcher sur la capitale de la Nouvelle-France. La maladie arrête la marche de l'armée alors que la flotte navigue vers Québec. Le 16 octobre 1690, arrivés à destination, les navires de William Phips jettent l'ancre. Sommé de capituler, le gouverneur Frontenac, qui a beaucoup de panache, répond à l'émissaire anglais : « Je n'ai point de réponse à faire à votre général que par la bouche de mes canons et à coups de fusil ; qu'il comprenne que ce n'est pas de la sorte qu'on envoie sommer un homme comme moi ; qu'il fasse du mieux qu'il pourra de son côté, comme je ferai du mien. » Commence alors le deuxième siège de Québec. Il y aura quelques engagements, mais la menace que présente un hivernement sur un navire incite Phips à lever le siège.

Espérant mater les Iroquois, Frontenac va faire détruire quelques villages dans la région des Grands Lacs. De plus, les hommes qui accompagnent Pierre Le Moyne d'Iberville réussissent presque à chasser les Anglais de la baie d'Hudson et ils ravagent les établissements anglais de l'île de Terre-Neuve. À la suite de la signature d'un traité de paix à Ryswick, en 1697, on ne tient pas compte des gains et des pertes et l'on retourne à la situation qui existait avant le début de la guerre ! Tous les combats menés par d'Iberville sont donc inutiles…

Français et Amérindiens sont fatigués de l'état de guerre et de tension qui règne depuis quelques décennies. Les rangs des Iroquois et des Amérindiens alliés ont été décimés par les conflits et surtout par la maladie, en particulier la petite vérole introduite par les Européens. Les autorités de la colonie savent fort bien que le Canada ne peut progresser qu'en temps de paix. De plus, l'économie est ébranlée par des surplus de fourrures. La Compagnie de Canada, qui détient le monopole de la traite, est dans une très mauvaise position financière. Louis-Hector de Callière, devenu gouverneur de la Nouvelle-France à la suite du décès de Frontenac, veut amener les nations autochtones amies ou ennemies des Français à conclure la paix, ce qui déplaît aux autorités de la Nouvelle-Angleterre. Une première ronde de négociations, qui se termine par un grand succès, a lieu au cours de l'été 1700. Des ambassadeurs français ou canadiens sont envoyés auprès de nations très éloignées pour les inviter à envoyer des délégués à Montréal l'année suivante. Le 4 août 1701, des représentants de 39 nations autochtones signent un traité de paix avec les autorités françaises. Il est convenu que, si un différend intervient entre deux nations, le gouverneur de la Nouvelle-France devra agir comme médiateur. Les cinq nations iroquoises s'engagent à demeurer neutres advenant un conflit entre la France et l'Angleterre. (Lors de la guerre de la Conquête, des Iroquois, sous l'impulsion de William Johnson, décideront de se ranger du côté des Anglais.) Par contre, comme un nouveau conflit éclate entre les deux métropoles en septembre 1701 au sujet de la succession au trône d'Espagne, des Abénaquis font, avec les Canadiens, des raids contre des établissements de la Nouvelle-Angleterre et cela, en toute quiétude, vu que les Anglais n'étaient pas partie prenante dans la Grande Paix de Montréal.

La vallée du Saint-Laurent sera peu touchée par la guerre de Succession d'Espagne. Les combats feront rage surtout en Acadie. Port-Royal devra capituler. En 1711, en Angleterre, on élabore un nouveau projet de conquête de Québec. Sir Hovenden Walker est nommé commandant en chef d'une escadre dont la mission est de s'emparer du Canada. Après une escale à Boston où l'on charge le ravitaillement qui sera nécessaire pour une éventuelle expédition de quatre mois, la flotte, composée de neuf bâtiments de guerre, de 60 navires de transport et de deux galiotes à bombe, lève l'ancre avec à son bord 12 000 hommes, dont 7 500 soldats, sans compter un certain nombre de femmes qui accompagnent les régiments. Le pilote canadien Jean Paradis, fait prisonnier à l'entrée du Saint-Laurent, permettra à la flotte de remonter le fleuve sans encombre malgré le mauvais temps. Il faut se rappeler que le mois d'août est souvent marqué par d'épais brouillards et des vents contraires. Le 2 septembre, toutefois, des navires heurtent des récifs à la hauteur de l'île aux Œufs, non loin de Sept-Îles. Environ 900 personnes y trouvent la mort. Pendant ce temps, une armée cantonnée au lac Champlain attend des nouvelles avant d'aller rejoindre la flotte de Walker. À l'annonce de la catastrophe, le commandant Francis Nicholson ordonne la retraite de son armée.

À Québec, à la mi-octobre, apprenant qu'ils ont échappé pour la deuxième fois à une attaque, les habitants ne cachent pas leur soulagement. La petite église située sur la place Royale, qui avait reçu le nom de Notre-Dame-de-la-Victoire à la suite de l'échec de Phips, sera connue par la suite sous le vocable de Notre-Dame-des-Victoires.

La guerre de Succession d'Espagne se termine en 1713 par un traité de paix signé à Utrecht, en Hollande, entre la France, l'Angleterre, la Hollande, la Prusse, le Portugal et la Savoie. Par ce traité, la France cède à l'Angleterre l'Acadie, Terre-Neuve et la baie d'Hudson. Elle garde l'île du Cap-Breton ainsi que quelques îles situées dans le golfe du Saint-Laurent. De plus, elle reconnaît que les Iroquois sont sous protectorat britannique. Le contenu de ce traité laisse entrevoir la conquête définitive de la Nouvelle-France par l'Angleterre. Commence alors pour l'Acadie une lente agonie qui se terminera par la déportation de ses habitants francophones entre 1755 et 1762.

Dessin de Louis Nicolas. L'intendant Talon fut le premier à faire transporter en Nouvelle-France des chevaux pour faciliter le travail des colons. Le premier arrivage, comprenant 12 chevaux, se fit en 1665.

Un peuple est né

À LA FIN DU XVIIe SIÈCLE, les Canadiennes et les Canadiens sont de plus en plus différents des Français. Cela n'échappe pas aux administrateurs et aux visiteurs. Pour le gouverneur Denonville, « les Canadiens sont tous grands, bien faits et bien plantés sur leurs jambes, accoutumés dans les nécessités à vivre de peu, robustes et vigoureux, mais fort volontaires et légers, et portés aux débauches. Ils ont de l'esprit et de la vivacité ». Pour l'officier militaire et écrivain Louis-Armand Lom d'Arce de Lahontan, plus connu sous le nom de baron de Lahontan, « les Canadiens ou Créoles [Français nés dans une colonie] sont bien faits, robustes, grands, forts, vigoureux, entreprenants, braves et infatigables ». Louis-Henri de Baugy, dit chevalier de Baugy, n'est pas tout à fait du même avis : « Les hommes y sont fort bien faits, de grandes fatigues, écrit-il ; ils commencent à courir les bois de même que les Sauvages et il y en a même qui sont aussi habiles qu'eux. [...] Je vous dirai pour ce qui est des gens de ce pays qu'ils sont fort doubles, tenant du Sauvage, de grands causeurs qui, pour la plupart, ne savent ce qu'ils disent, la plupart se faisant [prétendant] gentilshommes ; comme ils ne sont nullement d'accord ensemble, il faut les entendre parler les uns des autres ; c'est à qui se déchirera le mieux et l'on a que faire de leur donner la question pour tout savoir. »

C'est surtout la jeunesse qui encourt le plus de reproches. Le gouverneur Denonville écrit en novembre 1685 : « Les jeunes gens du Canada sont si mal élevés que, dès le moment qu'ils peuvent porter un fusil, leurs pères n'osent plus rien leur dire. Comme ils ne sont pas accoutumés au travail et qu'ils sont pauvres, ils n'ont d'autres ressources pour vivre que courir le bois où ils font une infinité de désordres. »

Il semble bien que les femmes trouvent plus grâce que les hommes. Selon Lahontan, « le sang du Canada est fort beau ; les femmes y sont généralement belles ; les brunes y sont rares, les sages communes. [...] Les paresseuses y sont en assez grand nombre ; elles aiment le luxe au dernier point et c'est à qui mieux prendra les maris au piège ». Baugy est plutôt frappé par l'aspect spirituel : « Elles sont pour la plupart d'assez bonne humeur ; il ne les faut pas trop prêcher, à ce qui m'a été dit, pour obtenir d'elles quelques faveurs. » Ces deux célibataires ont meilleure opinion des femmes que le gouverneur Denonville, qui les trouve paresseuses et trop attirées par le luxe. Selon lui, le problème vient des hivers qui sont trop longs : « La longueur de l'hiver pendant tout lequel le peuple ne fait rien que se chauffer vivant dans une extrême oisiveté, la nudité où sont tous les enfants, la fainéantise des filles et des femmes demande un peu de sévérité pour que l'on sème du chanvre et que l'on s'applique aux toiles. »

Si l'on chôme parfois durant la saison hivernale, il n'en va pas de même durant les étés alors qu'hommes, femmes et enfants travaillent aux champs. Il y a aussi les animaux dont on doit s'occuper. Même les citadins élèvent un ou quelques cochons et des poules. Les potagers de certains n'ont rien à envier à nos potagers contemporains. En 1664, Pierre Boucher décrit ainsi ce que l'on peut y trouver: « Toutes sortes de navets, rabioles, betteraves, carottes, panais, salsifis et autres racines viennent parfaitement et bien grosses. Toutes sortes de choux viennent aussi à leur perfection, à la réserve des choux-fleurs que je n'ai point encore vus. Pour les herbes: oseille, cardes de toute sorte, asperges, épinards, laitues de toute sorte, cerfeuil, persil, chicorée, pimprenelle, oignons, poireau, ail, cive, hysope, bourrache, buglosse et généralement toutes sortes d'herbes qui croissent dans les jardins de France; les melons, les concombres, les melons d'eau et cale-basses y viennent bien. »

On a importé de France des animaux domestiques, soit le bœuf, le cochon, le mouton et certaines espèces de poules, ainsi que des arbres fruitiers comme des pommiers et des pruniers. Mais les eaux et les bois fournissent poissons et gibier en grande quantité. Pour Boucher, la chair de l'orignal « est bonne et légère et ne fait jamais de mal ». Il en va de même pour le castor, l'ours et le porc-épic, tout comme pour l'outarde, la perdrix et la tourte. Dans ce dernier cas, « il y en a des quantités prodigieuses, écrit encore Boucher; l'on en tue des quarante et quarante-cinq d'un coup de fusil; ce n'est pas que cela se fasse d'ordinaire; mais pour en tuer huit, dix ou douze, cela est commun; elles viennent d'ordinaire au mois de mai et s'en retournent au mois de septembre; il s'en trouve universellement par tout ce pays-ci. »

Au XVIIe siècle, dans les pays catholiques, on l'a dit précédemment, il y a environ 140 jours par année où il faut faire abstinence. Or, dans la colonie, le castor est très abondant. Il est important de savoir s'il est un animal ou un poisson. Dans ce dernier cas, il pourrait figurer sur la table n'importe quel jour de l'année ! L'évêque François de Laval soumet cette grave question aux théologiens de la Sorbonne et aux médecins de l'Hôtel-Dieu de Paris. Après de longues et pénibles discussions et consultations, les experts arrivent à la conclusion que le castor est un... poisson (en raison de sa queue), et ce, au grand plaisir des habitants du Canada.

Ce que la colonie ne produit pas doit être importé, tels le sel, le poivre, la muscade, le clou de girofle, le sucre, la cassonade, l'huile d'olive et l'écorce de citron. À la fin du siècle, on commence à fabriquer du sucre d'érable, lequel remplace parfois le sucre de canne. Quant au vin et aux alcools, on préfère ce qui vient de la métropole, même si certains s'aventurent à fabriquer du vin avec des raisins locaux, qui donnent, pour reprendre l'expression de Pierre Boucher, « un gros rouge qui tache ».

Ce qui frappe plusieurs voyageurs, c'est le sens de l'hospitalité que manifestent les Canadiens. Leurs portes et, souvent, leurs tables sont ouvertes aux étrangers. Sans doute la curiosité y est-elle pour beaucoup. Durant la saison hivernale, soit de Noël au Mardi gras, ce ne sont souvent que repas bien garnis et danses. Les autorités religieuses pestent contre les danses « mixtes », c'est-à-dire celles où des personnes de scxes différents dansent quadrilles ou menuets. Plus grave encore est le charivari, déjà interdit dans la catholicité sous peine d'excommunication depuis le XVIe siècle. En Nouvelle-France, on commence à « charivariser » au cours des années 1680. Le charivari consiste en manifestations bruyantes de personnes qui protestent contre un mariage où le veuvage a été trop court ou lorsque la différence d'âge entre les nouveaux époux est trop grande. Très souvent, le seul moyen de faire cesser un charivari est de verser de l'argent aux « charivariseurs ». En 1683, ces derniers se verront menacés d'excommunication, tout comme les parents des enfants ou les maîtres des serviteurs qui leur laissent faire de telles manifestations.

Si la santé morale laisse parfois à désirer, il en va de même pour la santé physique. Le scorbut, qui avait fait des ravages au cours des premières années de l'histoire de la Nouvelle-France, disparaît presque avec la consommation de viande et de légumes frais, non salés. La colonie jouirait pratiquement d'un climat idéal, surtout durant la saison hivernale, selon Boucher qui écrit : « L'air y est extrêmement sain en tout temps, mais surtout l'hiver ; on voit rarement des maladies dans ces pays-ci. » Pourtant, la maladie infantile est cause de centaines de décès. À plusieurs reprises, des épidémies font des victimes. Ainsi, en 1659, une première épidémie de typhus frappe la colonie. Une autre survient en 1665, lors de l'arrivée des navires qui transportent les soldats du régiment de Carignan-Salières. Sur le seul bâtiment *La Justice*, survient une centaine de décès. Le typhus réapparaît en 1685, entraînant la mort d'une centaine de personnes. Deux années plus tard, environ 500 Canadiens sont victimes de la variole. Au cours de l'hiver 1702-1703, 13 pour cent de la population de la ville de Québec, soit 260 habitants, meurent de la variole. De quoi faire mentir Boucher !

La colonie dispose de cinq établissements hospitaliers. Québec et Montréal ont chacun un hôtel-Dieu.

Au début des années 1690, les deux villes possèdent un hôpital général destiné à accueillir les pauvres mendiants, valides ou invalides. En cas de maladie, ces personnes devront se faire soigner à l'Hôtel-Dieu. À Trois-Rivières, à la demande de l'évêque Saint-Vallier, ce seront les religieuses ursulines qui prendront la direction d'un hôpital. « Il y aura six lits munis de paillasses propres recouvertes de draps de toiles ou de serge, écrit sœur Thérèse Germain ; près de chaque lit, une chaise et un chiffonnier. L'eau courante et les égouts sont encore inconnus à Trois-Rivières : l'eau du puits est apportée pour boire et faire la toilette des malades, et on devine un autre accessoire indispensable sous chaque lit. »

À Trois-Rivières, tout comme à Québec, les ursulines dispensent l'enseignement aux filles, alors que les religieuses de la Congrégation Notre-Dame de Montréal ont ouvert des écoles dans plusieurs paroisses. Le Collège des jésuites est toujours la seule institution à offrir le cours classique. À Montréal, les sulpiciens financent une école pour les garçons. Enfin, quelques maîtres ambulants parcourent les villages pour offrir, moyennant rétribution, un enseignement sommaire. Les jeunes qui se destinent à la prêtrise demeurent au Séminaire de Québec et suivent leurs cours chez les jésuites.

Le monde de l'éducation, tout comme l'ensemble de la population, est sous la constante surveillance du clergé. La majorité des habitants pratiquent régulièrement la religion catholique, le culte protestant étant interdit. L'assistance aux offices religieux les dimanches et les jours de fête est respectée. Aux 52 dimanches que compte une année, il faut ajouter 37 fêtes d'obligation. Ces jours-là, le travail est interdit. Il arrive parfois que le pouvoir civil condamne à l'amende ceux qui ne respectent pas « le Jour du Seigneur ».

Si, sur certains points, les Canadiens continuent d'être Français, sur d'autres, ils ont développé une assez grande spécificité. En 1720, le jésuite François-Xavier de Charlevoix note, parlant des « Créoles du Canada » : « On politique sur le passé, on conjoncture sur l'avenir ; les sciences et les beaux arts ont leur tour et la conversation ne tombe point. Les Canadiens, c'est-à-dire les Créoles du Canada, respirent en naissant un air de liberté qui les rend fort agréables dans leur commerce de la vie et nulle part ailleurs on ne parle plus purement notre langue. On ne remarque même ici aucun accent. » Une décennie plus tard, Pierre-Olivier Thoulier d'Olivet, membre de l'Académie française, ajoute : « On peut envoyer un opéra au Canada et il sera chanté à Québec note pour note et sur le même ton qu'à Paris ; mais on ne saurait envoyer une phrase de conversation à Bordeaux et à Montpellier et faire qu'elle soit prononcée syllabe pour syllabe comme à Paris. » Le tout n'empêche pas la langue des Canadiens de s'enrichir de nouveaux mots ou de nouvelles expressions qui leur sont propres. À la veille de la Conquête, l'officier Jean-Baptiste d'Aleyrac, qui participe à la bataille des plaines d'Abraham, aura assez de contact avec les habitants pour remarquer certaines particularités linguistiques. « Il n'y a pas de patois dans ce pays, écrit-il. Tous les Canadiens parlent un français pareil au nôtre. Hormis quelques mots qui leur sont particuliers, empruntés d'ordinaire au langage des matelots, comme amarrer pour attacher, haler pour tirer non seulement une corde mais quelque autre chose. Ils en ont forgé quelques-uns comme tuque ou une fourole pour dire un bonnet de laine rouge (dont ils se servent couramment). Ils disent une poche pour un sac, un mantelet pour un casaquin sans pli, une rafale pour beaucoup de vent, de pluie ou de neige, tanné au lieu d'ennuyé, chômer pour ne manquer de rien ; la relevée pour l'après-midi ; chance pour bonheur ; miette pour moment ; paré pour être prêt à. L'expression la plus ordinaire est : de valeur pour signifier qu'une chose est pénible à faire ou trop fâcheuse. »

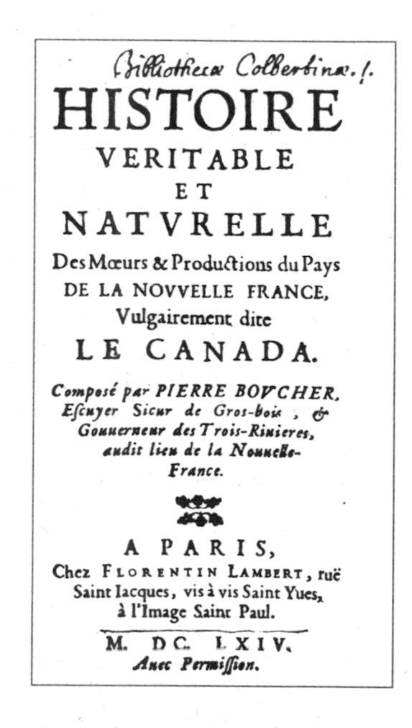
Bibliothecæ Colbertinæ.
HISTOIRE
VERITABLE
ET
NATVRELLE
Des Mœurs & Productions du Pays
DE LA NOVVELLE FRANCE,
Vulgairement dite
LE CANADA.
Composé par PIERRE BOVCHER,
Escuyer Sieur de Gros-bois, &
Gouuerneur des Trois-Riuieres,
audit lieu de la Nouuelle-
France.
A PARIS,
Chez FLORENTIN LAMBERT, ruë
Saint Iacques, vis à vis Saint Yues,
à l'Image Saint Paul.
M. DC. LXIV.
Auec Permission.

Pierre Boucher a écrit un court ouvrage de 168 pages
à l'intention des Français désireux d'émigrer en Nouvelle-France
et aussi pour mieux faire connaître cette dernière.

Vers une inexorable conquête

Le traité d'Utrecht avait amputé la Nouvelle-France d'une importante partie de son territoire. L'important, c'est maintenant de fortifier la colonie pour qu'elle puisse résister le plus longtemps possible au dessein de la Nouvelle-Angleterre de la voir disparaître. Les pressions exercées sur les Acadiens pour les inciter à émigrer dans d'autres parties de la Nouvelle-France connaissent peu de succès. On fera valoir que la construction d'une forteresse à Louisbourg, sur l'île du Cap-Breton, devenue l'île Royale, constituera une protection efficace contre d'éventuelles attaques anglaises. À la longue, on se rendra vite compte que ce que l'on appelle « le Gibraltar d'Amérique » ne constitue pas une défense efficace. Le gouverneur de la Nouvelle-France, Charles de Beauharnois de la Boische, en est bien conscient lorsqu'il déclare : « Toute l'armée de l'Angleterre pourrait venir à Québec qu'on n'en saurait rien à l'île Royale et, quand même on le saurait en ce pays-là, que pourraient-ils faire ? »

Il devient donc urgent de fortifier les villes de Québec et de Montréal. Dans la capitale, on construit deux nouvelles redoutes, la Royale et la Dauphine. En 1720, l'ensemble des travaux prévus est loin d'être terminé, mais on a quand même l'impression d'une ville qui peut se défendre, du moins selon l'historien Charlevoix: « Québec n'est pas fortifiée régulièrement, mais on travaille depuis longtemps à en faire une bonne place. Cette ville n'est pas même facile à prendre dans l'état où elle est. Le port est flanqué de deux bastions qui, dans les grandes marées, sont presque à fleur d'eau, c'est-à-dire qu'ils sont élevés de vingt-cinq pieds de terre, car la marée, dans les équinoxes, monte à cette hauteur. Un peu au-dessus du bastion de droite, on en a fait un demi, lequel est pris dans le rocher, et plus haut, à côté de la galerie du fort, il y a vingt-cinq pièces de canon en batterie. Un petit fort carré, qu'on nomme Citadelle, est encore au-dessus et les chemins pour aller d'une fortification à l'autre sont extrêmement raides. » Le tout est complété par d'autres travaux défensifs tant le long de la rivière Saint-Charles que dans le voisinage du cap aux Diamants.

Si, à Québec, la menace vient surtout des navires ennemis qui remontent le fleuve jusqu'à cet endroit, pour Montréal, la rivière Richelieu est la voie de pénétration la plus utilisée. Il importe donc de fortifier aussi ce dernier endroit. Décision est prise de remplacer la palissade de pieux de cèdre par un mur de pierre. Alors qu'à Québec, c'est le trésor royal qui paie le coût des fortifications, ce sont les Montréalais et les autres habitants du gouvernement de Montréal qui seront mis à contribution tant par des corvées que par une sorte de taxe. Cette façon de procéder ne plaît pas à la population qui grogne volontiers. Ainsi, au cours de l'été de 1717, des hommes du village de Longueuil refusent de se plier aux corvées. Certains seront mis aux arrêts et emprisonnés pendant plusieurs mois.

Il faut attendre la fin des années 1730 pour que soient terminées les fortifications de Montréal. L'ouvrage est impressionnant : « L'enceinte, qui mesure 3500 m de tour, écrit l'historien Jean-Claude Robert, comporte 14 fronts défensifs, soit 13 bastions reliés entre eux par des courtines, outre la citadelle. Les murs ont environ 6 m de hauteur et sont percés, tous les 2 m environ, de meurtrières ; ils sont moins épais du côté du fleuve que du côté de la terre. En raison de la configuration des courants et des hauts-fonds dans le port, une attaque par eau est assez improbable et, de toute façon, la lenteur des manœuvres aurait facilité le travail des artilleurs de la ville. Du côté de la terre, l'ingénieur a prévu un fossé et un glacis s'étendant sur une largeur de plus de 60 m. Seize portes et poternes ponctuent le périmètre, dont 10 donnant sur le Saint-Laurent. Les portes, plus larges, permettent le passage des charrois, et les poternes servent aux piétons et aux militaires. »

De nouveaux forts sont construits aussi bien dans la région du lac Champlain que dans les Pays-d'en-Haut. Parfois, fort français et fort anglais se font face. Ces endroits sont autant des postes de traite des fourrures que des éléments défensifs. Le besoin de trouver de nouveaux réservoirs d'approvisionnement autant que l'éternelle recherche d'un passage vers la Chine incite Pierre Gaultier de Varennes et de La Vérendrye à poursuivre l'exploration du territoire vers l'Ouest. Ce seront les revenus de la traite, et non pas le trésor royal, qui financeront la longue marche vers les Rocheuses. Cette marche sera jalonnée par la construction de plusieurs forts. Des relations s'établissent avec de nouvelles nations autochtones. Des alliances se nouent qui dressent les Sioux contre les hommes de La Vérendrye. En 1736, ceux-ci massacreront plusieurs traiteurs, dont le fils aîné de l'explorateur. Néanmoins, sans la collaboration des Amérindiens, la marche des Canadiens n'aurait peut-être pas été possible. Deux années plus tard, des Mandans du Haut-Missouri parlent d'un vaste espace d'eau dont on ne voit pas l'autre rive et dont « l'eau est mauvaise à boire ». Convaincu que cette étendue d'eau est la mer Vermeille qui conduit en Chine, l'explorateur charge son fils Louis-Joseph d'aller explorer cette région située au sud du 49e degré de latitude. Le 1er janvier 1743, ce dernier arrive « à la vue des montagnes ». C'était sans doute la première fois que des Blancs se rendaient jusqu'aux Rocheuses.

Au cours de la première moitié du XVIIIe siècle, la fourrure n'est plus la base exclusive de l'économie de la Nouvelle-France. Les gouverneurs et les intendants cherchent à savoir s'il existe des mines à exploiter. On sait, grâce aux dires d'Amérindiens, qu'il y a une mine de cuivre dans la région du lac Supérieur. Du minerai est expédié en France pour expertise. On apprend que sa pureté serait de l'ordre de 90 pour cent. La surprise est telle que les experts de l'Hôtel des monnaies de Paris sont convaincus que « le morceau de cuivre qui avait été envoyé en France n'était pas à l'état naturel, mais qu'il avait déjà été fondu ». Il faudra attendre les années 1840 pour que le gisement soit exploité de façon commerciale. La mine de plomb découverte à Baie-Saint-Paul ne soulève pas d'enthousiasme chez le savant suédois Pehr Kalm qui visite la colonie en 1749 : « Tout indique donc que l'extraction de ce minerai n'en vaut guère la peine : d'une part, les veines sont assez étroites et resserrées et il faudrait beaucoup de travail pour casser le granit dur qui est sur les côtés ; d'autre part, ce minerai est assez pauvre et serait loin de couvrir les frais qu'il nécessiterait ici, en particulier en raison du coût de la main-d'œuvre dans cette région. » Il ne sera plus question d'exploiter cette mine, d'autant plus que la colonie ne possède pas d'ouvriers vraiment spécialisés pour l'exploitation des mines.

Il en sera autrement avec les gisements de fer trouvés dans la région de Trois-Rivières. Déjà, sous Jean Talon, on avait expédié en France quelques barriques de minerai pour savoir s'il était souhaitable d'établir des forges à cet endroit. La réponse avait été positive. Peu après l'arrivée de Frontenac, en 1672, on découvre de nouveaux gisements de minerai de fer dans la région de Cap-de-la-Madeleine et de Champlain. Pour les exploiter, il faudrait l'accord du ministre Colbert, lequel accord ne vient pas. En 1717, la réponse du ministre Maurepas est claire : « S.A.R. [Son Altesse royale] ne juge pas à-propos de faire travailler aux mines de fer. Il y en a assez en France pour en fournir tout le Canada. » Le mercantilisme, en vertu duquel aucun produit d'une colonie ne doit nuire à ce qui se produit en France, est toujours en vigueur.

En mars 1730, le marchand montréalais François Poulin de Francheville obtient un brevet d'exploitation du minerai situé dans le gouvernement de Trois-Rivières. Le changement d'attitude des autorités françaises s'explique surtout par le fait que le marchand s'était engagé, moyennant certains privilèges, à établir la forge à ses frais. Des problèmes financiers et de recrutement d'ouvriers spécialisés retardent le début des travaux. Le haut fourneau n'est allumé officiellement que le 20 août 1738. Rapidement surviennent de graves problèmes financiers. Pour sauver l'établissement d'une fermeture, l'intendant Gilles Hocquart le subventionne et en fait une entreprise d'État. Une mauvaise administration et des relations tendues entre ouvriers et maître de forge expliquent en bonne partie les problèmes qui avaient conduit à la faillite. Pour les Forges du Saint-Maurice, tous les problèmes ne sont pas réglés. Pierre-François Rigaud de Vaudreuil, gouverneur de Trois-Rivières, écrit en septembre 1749 : « La dépense en est extraordinaire. Elles sont mal gérées. Les feux en consomment les bois ; la coupe s'en fait mal et les bêtes à cornes qu'on y laisse en quantité rongent et perdent les bois qui repousseraient et seraient propres à faire le charbon. Il y a plusieurs maîtres. Il n'en faut qu'un qui soit un directeur habile, désintéressé, de qui dépendent les ouvriers et les inspecteurs. »

Les Forges du Saint-Maurice sont l'industrie la plus importante de la colonie. Elles emploient quelques centaines d'ouvriers. On y fabrique des socs de charrue, des marmites, des poêles à chauffer, des plaques de poêles, des boulets, des canons, etc. Kalm est impressionné par l'établissement : « Ce sont les seules qui existent au Canada. [...] Elles se composent d'un certain nombre de bâtiments : il y a deux marteaux-pilons, chacun dans son bâtiment particulier ; dans chacun de ces bâtiments, se trouvent un grand marteau et, en outre, un deuxième plus petit ; les soufflets sont faits en bois et tout le reste est construit comme chez nous, en Suède. Le haut fourneau est placé tout près des marteaux-pilons et il est également monté comme chez nous. »

À partir des premières décennies du XVIIIe siècle, l'exploitation forestière prend de l'importance. La construction navale suppose l'utilisation du pin et de l'épinette pour les mâts. Le merisier sert pour les quilles ; la pruche, pour les bordages, et le frêne, pour les chevrons. À Québec, plusieurs chantiers de construction navale voient le jour, soit à l'anse des Mères, à l'ouest du Cul-de-Sac, ou encore sur les rives de la rivière Saint-Charles. Quelques navires de guerre y seront construits. Souvent, il faudra l'aide de Sa Majesté pour que se développent les chantiers. Sans elle, ce secteur de l'économie n'aurait peut-être pas existé. « De fait, écrit l'historien Jacques Mathieu, la construction navale à Québec fut une industrie métropolitaine par ses capitaux et sa finalité, dans ses méthodes, par l'encadrement de sa main-d'œuvre, en somme dans sa nature même. À l'échelon le plus important, les décisions se prenaient en France ; elles étaient conçues et valables pour la métropole, non pour la colonie. Ainsi Maurepas imposa à l'intendant un type de construction qui ne convenait pas aux ressources forestières de la Nouvelle-France. On ne réussit pas plus à adapter les méthodes françaises aux conditions canadiennes. Les ouvriers spécialisés venus de France n'incitèrent pas le Canadien à sortir de sa réclusion volontaire. [...] On a vu trop grand pour les possibilités industrielles de la Nouvelle-France au milieu du XVIIIe siècle. »

La plupart des secteurs de l'activité économique connaissent différents problèmes, que ce soit au chapitre de la main-d'œuvre, de la compétence, des ressources financières ou autres. Le désir d'un gain trop rapide peut tuer ce qui aurait pu être la poule aux œufs d'or. Par une lettre de son confrère missionnaire qui œuvre en Asie, le jésuite Joseph-François Lafitau apprend que les Chinois apprécient une plante aux valeurs aphrodisiaques: le ginseng. Ces derniers en importent d'énormes quantités de la Corée. Lafitau est convaincu que cette plante doit exister dans la vallée du Saint-Laurent. En effet, les Iroquois utilisent déjà le ginseng qui a « la vertu de rendre les femmes fécondes ». En 1718, le jésuite fait parvenir un mémoire au prince régent à ce sujet. Avec succès, on se met à la recherche de cette plante. Son prix augmente rapidement. En quelques années, il est multiplié par 25. Pour la seule année 1751, on en exporte en France d'énormes quantités. L'appât du gain fait que les habitants ne respecteront pas les périodes de cueillette et de séchage. Normalement, pour préserver les vertus de la plante, il faut qu'elle soit cueillie en septembre et ensuite séchée doucement en la tournant plusieurs fois par jour. Or, les habitants canadiens, pour gagner plus rapidement leur argent, la ramassent en mai et la font sécher au four. Du coup, finies les valeurs aphrodisiaques! Les Chinois cessent alors de s'approvisionner au Canada. Cette industrie, qui aurait pu devenir extrêmement lucrative, disparaît dès 1752. L'ingénieur Louis Franquet s'était rapidement rendu compte du drame qui se préparait. « Tous les habitants de la campagne, y compris les Sauvages, écrit-il la même année, négligent tout pour s'y adonner. C'est une fureur aujourd'hui; et, malheureusement, on n'attend point qu'elle soit mûre pour la cueillir. De là, il arrivera que sa qualité dégénère et qu'on perdra l'une des productions les plus capables d'enrichir ce pays. »

Heureusement, reste le secteur des pêcheries. La morue demeure toujours un des poissons les plus recherchés. La perte de l'Acadie et de Terre-Neuve favorisera le développement des pêcheries en Gaspésie. « L'importance de la morue sèche en Gaspésie, affirme l'historien David Lee, a manifestement contribué à créer une société bien différente de celle du Canada dont les moyens de subsistance étaient beaucoup plus diversifiés. Il semble que les habitants de Pabos aient été en meilleure santé que ceux du reste de la Nouvelle-France, ce qui indique un niveau de vie plus élevé. » Dans la région de Rivière-Ouelle, ce sera la pêche aux marsouins pour l'huile et le cuir qui jouera un rôle important. Quant au loup-marin, sa peau servira surtout à faire des manchons.

La plupart des secteurs de l'économie vont mieux fonctionner en période de paix qu'en temps de guerre. Or, à la mi-mars 1744, une nouvelle guerre éclate entre la France et l'Angleterre. La raison du litige est de savoir qui succédera à l'empereur d'Autriche à la suite de son décès. À peine une année plus tard, la forteresse de Louisbourg doit capituler après un siège de 47 jours. À Québec, tout ce que l'on souhaite, c'est la reprise de la place, car on se sent menacé. Pour l'ingénieur Gaspard-Joseph Chaussegros de Léry, « la prise de Louisbourg intéresse toute la marine et met cette colonie en danger de tomber entre les mains des Anglais. [...] Tout le pays espère que le roi ne laissera pas cette place aux Anglais ». Les tentatives de reconquête seront des échecs.

Dans la vallée du Saint-Laurent, on craint une invasion. Un système de surveillance des côtes est mis en place entre Lévis et Rimouski. Pour semer la terreur, les nations autochtones alliées font des raids contre des établissements anglais, rapportant des scalps. Ces gestes, qualifiés de barbares, soulèvent l'indignation des autorités de la Nouvelle-Angleterre. Mais, de part et d'autre, on achète des scalps d'ennemis.

Si la colonie veut se fortifier, précise le ministre Maurepas, ce seront les habitants qui devront en payer le prix ! Heureusement, la paix est signée à Aix-la-Chapelle le 28 octobre 1748 et, selon les clauses de ce traité, on doit retourner à la situation qui existait avant le début du conflit. Naîtra alors l'expression « Bête comme la paix ». La forteresse de Louisbourg retourne donc à la France.

On sent que la paix qui suit n'est que temporaire et que, autant pour les autorités anglaises de Londres que pour celles de la Nouvelle-Angleterre, c'est une guerre à finir qui devrait régler la question de la Nouvelle-France. De part et d'autre, on se fortifie, on construit de nouveaux forts. L'Acadie devient un point de plus en plus chaud. Comme la grande majorité des Acadiens n'ont pas voulu prêter un serment inconditionnel à l'Angleterre, car ils se refusent à être obligés de prendre les armes pour défendre leur nouvelle mère patrie, ils deviennent des étrangers sur les terres qu'ils occupent depuis des décennies et risquent de constituer une menace permanente pour la minorité d'Anglais qui vivent en Acadie. Surtout, leurs terres sont convoitées par les nouveaux colons anglais installés dans le voisinage de la nouvelle ville d'Halifax. Décision est prise en 1755 de les déporter surtout en Nouvelle-Angleterre. Cette décision soulèvera peu de protestations de la part des autorités françaises, aussi bien en métropole qu'à Québec. D'ailleurs, en 1757, alors que la vallée du Saint-Laurent fait face à une grave famine, certains demanderont de fermer les frontières aux Acadiens qui veulent se réfugier en territoire français. On les accusera de semer la mort, vu que plusieurs d'entre eux sont malades et n'ont rien à manger.

Si la guerre de Sept Ans ne devient officielle qu'en 1756, les combats font rage en Amérique du Nord depuis deux années. Chose intéressante à noter, cette guerre sera appelée de façon différente suivant les belligérants. Pour les Français, le nom officiel sera « Guerre de Sept Ans » ; pour les habitants de la Nouvelle-France, ce sera la « Guerre de la Conquête » et, pour les Anglais, qu'ils soient de la métropole ou de la Nouvelle-Angleterre, on parlera de « French and Indian War ».

Les premiers affrontements ont lieu dans la vallée de l'Ohio en juillet 1754. Ce sera une victoire canado-amérindienne ! Au cours de la guerre qui commence, la stratégie européenne s'opposera à la stratégie adoptée par les Canadiens et une partie des miliciens néo-angleterriens. Pour les soldats réguliers, il est important que l'armée avance en rang, au son du tambour sur un terrain peu accidenté et attende les ordres avant de tirer. Pour les miliciens et les autochtones, le plus important est d'exploiter au maximum les lieux. On n'hésite pas à se cacher derrière un arbre et à faire feu à volonté. Un officier anglais qualifiera de meurtre la façon de faire des Nord-Américains.

Depuis 1669, tous les Canadiens valides âgés de 16 à 60 ans font partie de la milice. Sous les ordres d'un capitaine, ils doivent pratiquer à des moments précis le maniement des armes. Lorsqu'ils sont conscrits, ils doivent se présenter au combat sous peine de mort. De plus, chacun doit voir à son habillement et à sa nourriture. Comme les engagements ont souvent lieu durant la saison estivale, ils ne sont pas à la ferme pour les travaux des champs, ce qui en amène plusieurs à déserter. Malgré tout, plusieurs officiers de l'armée régulière trouvent des qualités à ces miliciens. « On peut considérer les Canadiens comme troupes légères, écrit à son épouse l'enseigne Louis-Guillaume de Parsacau du Plessis ; ils font la guerre à la manière des Sauvages, étant plus propres à surprendre l'ennemi et en embuscade qu'à attaquer à découvert. Ils sont robustes et habitués, dès leur bas âge, à courir les bois et à supporter les fatigues de la chasse. Les Anglais qui ne sont ni aussi alertes ni aussi braves se laissent toujours surprendre parce qu'ils ne s'exercent pas comme nos Canadiens à faire la guerre dans les bois, ce qui nous donnera toujours la supériorité, puisqu'on ne peut se battre que dans les bois qui couvrent toute l'étendue de ce pays, à moins de se tenir enfermés dans les forts, ainsi que les Anglais le font. »

Avant même que l'état de guerre soit déclaré entre les deux nations rivales, le marquis Louis-Joseph de Montcalm est nommé commandant des troupes françaises en Amérique septentrionale avec le grade de maréchal de camp. Qui, du gouverneur général François-Pierre de Rigaud de Vaudreuil-Cavagnial, premier Canadien à occuper un tel poste, ou de Montcalm, aura l'autorité suprême ? Le roi Louis XV est clair là-dessus : « En un mot, ce sera le gouverneur général à tout régler et à tout ordonner pour les opérations militaires. Le sieur marquis de Montcalm sera tenu de les exécuter telles qu'il les aura ordonnées. Il pourra cependant lui faire les représentations qui lui paraîtront convenables sur les projets dont l'exécution sera ordonnée. Mais si le gouverneur général croit avoir des raisons pour n'y pas déférer et pour persister dans les dispositions, le sieur marquis de Montcalm s'y conformera sans difficulté ni retardement.» Le général français accepte mal d'être soumis à un Canadien.

Montcalm apprécie peu la présence d'autochtones parmi les miliciens canadiens aux côtés des soldats réguliers. Pour lui, il est difficile de contrôler les Amérindiens. Il note dans son journal, en date du 20 octobre 1756: «Ils s'ameutent, délibèrent entre eux et délibèrent lentement, veulent aller faire coup tous ensemble et du même côté parce qu'ils aiment de gros bataillons. Entre la résolution prise et l'exécution, il se passe un temps considérable; tantôt une nation arrête la marche, tantôt une autre. Il faut que tous aient le temps de s'enivrer et cependant la consommation qu'ils font est énorme; ils partent enfin et, dès qu'ils ont frappé, n'eussent-ils fait qu'une chevelure ou un prisonnier, ils reviennent et repartent pour leurs villages. Alors, pendant une période considérable, l'armée reste sans Sauvages. Chaque particulier s'en trouve bien, mais les opérations de la guerre en souffrent, car enfin ils sont un mal nécessaire. Il vaudrait mieux n'avoir à la fois qu'un nombre réglé de ces maringouins qui fussent ensuite relevés par d'autres, de manière qu'il y en ait toujours.» Les officiers français sont quand même obligés d'avouer que la présence des autochtones est nécessaire pour la bonne poursuite de la guerre. L'intendant François Bigot et ses hommes sont chargés de voir à trouver tout ce qui est nécessaire pour nourrir l'armée. Les habitants sont obligés de vendre bêtes et récoltes au prix fixé par eux et ceux-ci les revendent au roi en faisant d'importants, sinon d'énormes bénéfices. Non seulement le coût de la vie augmente, mais les vivres deviennent de plus en plus rares. À partir de 1757, la famine règne dans la colonie. Le 14 septembre, Montcalm écrit dans son journal : « La ration du soldat sera d'une demi-livre de pain et un quarteron de pois par jour ; six livres de bœuf frais et deux livres de morue par huit jours. Et il est à craindre que nous ne puissions soutenir ce taux et qu'on ne soit obligé, avec le temps, de donner un peu de cheval. On ne donnera pas de lard actuellement, parce que cette ressource ne peut manquer, que les bœufs sont actuellement dans le temps de l'année où ils sont les meilleurs et rendent le plus. »

Plusieurs habitants croient que la famine est artificielle et que c'est la « bande à Bigot » qui manigance tout pour créer une rareté artificielle dans l'espoir de faire monter les prix. On commence à protester, à manifester. Si la viande de bœuf est de plus en plus rare, il y a, dans les campagnes, une surabondance de chevaux, 3 000 selon Bigot. Les autorités civiles et militaires veulent convaincre les soldats et la population en général de consommer de la viande chevaline. Pour donner l'exemple, Vaudreuil, Bigot, Montcalm et le brigadier François-Gaston de Lévis organisent, le 4 décembre 1757, un repas tout au cheval : « Petits pâtés de cheval à l'espagnole ; cheval à la mode ; escalope de cheval ; filet de cheval à la broche avec une poivrade bien liée ; semelles de cheval au gratin ; langue de cheval au miroton ; frigousse de cheval ; langue de cheval boucanée et gâteau de cheval, comme les gâteaux de lièvre. » Il faut maintenant convaincre les soldats et la population de consommer cette viande. Lévis doit menacer des hommes de la potence s'ils refusent un plat de cheval. La réaction des Canadiens est encore plus forte : on ne peut les obliger à manger leur meilleur ami ! La famine continue donc à régner dans les villes de Québec et de Montréal. L'année suivante, on assiste à des manifestations de femmes qui réclament du pain, un pain qui coûte de plus en plus cher et dont la qualité ne cesse de diminuer.

Sur le champ de batailles, le sort des armes favorise de plus en plus les Anglais. Le premier ministre de l'Angleterre, William Pitt, est convaincu que la guerre qui oppose son pays à la France se gagnera en Amérique. En 1758, la Nouvelle-Angleterre peut compter sur une force de 33 000 hommes, soit 12 000 soldats réguliers et 21 000 miliciens. Le roi de France est, quant à lui, convaincu que l'issue se joue en Europe, de sorte que, la même année, il n'y a dans la colonie que 6 800 soldats réguliers, auxquels il faut ajouter quelques milliers de miliciens. À cette époque, l'Amérique anglaise est 20 fois plus peuplée que la française.

Depuis le début de la guerre, victoires et défaites s'annulent presque. Mais, en 1758, le vent tourne. En juillet, à Carillon, aujourd'hui Ticonderoga, dans l'État de New York, Montcalm remporte sa dernière grande victoire, une victoire qui sera magnifiée et deviendra presque mythique dans l'esprit de plusieurs francophones. Quelques jours plus tard, la forteresse de Louisbourg tombe aux mains des Anglais. James Wolfe, qui a alors le titre temporaire de « général de brigade en Amérique », avait commandé l'attaque par voie de terre. Tout ce qu'il veut maintenant, c'est se rendre dans la vallée du Saint-Laurent pour écraser les Canadiens. Le 8 août, il écrit au général Jeffery Amherst: « Je ne peux regarder de sang froid les incursions sanglantes de cette meute infernale, les Canadiens; et si nous ne pouvons accomplir rien de plus, je dois exprimer le désir de quitter l'armée. » En attendant, il est chargé de détruire les établissements français en Gaspésie. « Nous avons fait beaucoup de dommage, écrit Wolfe, répandu la terreur des armes de Sa Majesté par tout le golfe; mais nous n'avons rien fait pour en grandir la renommée. »

Au début de 1759, l'officier Louis-Antoine de Bougainville est en France pour demander des renforts au ministre de la Marine, Nicolas-René Berryer. Il se fait répondre: « Quand le feu est à la maison, on ne cherche pas à sauver les écuries. » « Je ne puis donc obtenir, pour ces pauvres écuries, ironise Bougainville, que 400 hommes de recrue et quelques munitions de guerre. » Comme le souhaite Montcalm, l'armée se replie de plus en plus sur Québec. Depuis le 20 octobre de l'année précédente, il occupe le poste de lieutenant général, ce qui signifie que, sur le plan hiérarchique, il est devenu le supérieur du gouverneur Vaudreuil. Ceci n'était pas pour diminuer l'animosité qui existait entre les deux personnages.

La capitale de la Nouvelle-France sait qu'elle est la prochaine cible des attaques anglaises. La flotte ennemie, commandée par l'amiral Charles Saunders, est une vraie armada: 29 gros navires, 12 frégates et corvettes, deux galiotes à bombes, 80 navires de transport et entre 50 et 60 petits bateaux ou goélettes. Le tout, armé d'environ 1 900 canons. À bord, 8 500 soldats sous le commandement de Wolfe et 13 500 marins et hommes d'équipage. Avec le reste des passagers, cela fait 30 000 personnes. C'est beaucoup comparativement à ce dont dispose Montcalm : près de 15 000 hommes, soit des soldats réguliers, troupes de la Marine et miliciens. Ce dernier peut aussi compter sur l'aide d'un millier d'Amérindiens.

La plupart des femmes et des enfants vivant sur la Côte-du-Sud se sont réfugiés à l'intérieur des terres. L'île d'Orléans a été désertée par la majorité de ses habitants. D'ailleurs, l'armée anglaise y installera un campement. Le 27 juin, Wolfe fait afficher à la porte de l'église de la paroisse Saint-Laurent son premier placard qui donne le ton de ce qu'il entend faire : « Il est permis aux habitants de venir dans leurs familles, dans leurs habitations. Je leur promets ma protection et je les assure qu'ils pourront sans craindre les moindres molestations, y jouir de leurs biens, suivre le culte de leurs religions ; en un mot, jouir au milieu de la guerre de toutes les douceurs de la paix, pourvu qu'ils s'engagent à ne prendre directement ni indirectement aucune part à une dispute qui ne regarde que les deux couronnes. Si, au contraire, un entêtement déplacé et une valeur imprudente et inutile leur font prendre les armes, qu'ils s'attendent à souffrir tout ce que la guerre offre de plus cruel. Il est aisé de se représenter à quel excès se porte la fureur d'un soldat effréné ; nos ordres seuls peuvent en arrêter le cours, et c'est aux Canadiens, par leur conduite, à se procurer cet avantage. » Deux jours plus tard, le même placard est apposé sur la porte de l'église de Beaumont.

Des soldats anglais s'installent à la Pointe-Lévy et pointent des canons vers Québec. Le 30 juin, à Québec, on ferme les portes, et ce, pour la première fois depuis le début du conflit. Quelques jours plus tard, un autre débarquement a lieu, cette fois sur la rive gauche de la rivière Montmorency. Convaincu que les Anglais attaqueront à Beauport, Montcalm y établit son camp.

Québec, qui a été vidée d'une partie de sa population, commence à être bombardée le 12 juillet au soir. Il en sera de même presque toutes les nuits jusqu'au 13 septembre. En moins d'une semaine, près de 250 maisons sont incendiées ou détruites par les bombes. Lors d'un débarquement de 400 grenadiers à Pointe-aux-Trembles, petit village situé près de Neuville, environ 200 femmes et enfants sont faits prisonniers. Parmi elles, quelques bourgeoises de Québec qui s'étaient réfugiées à la campagne. Wolfe les ramène à Québec et les fait débarquer à l'anse au Foulon. On s'aperçoit que ces dernières utilisent un sentier qui leur permet de se rendre sans problème sur les plaines d'Abraham. Il y avait sans doute sur le navire du général anglais l'espion Robert Stobo, qui avait réussi à s'enfuir de Québec au tout début du mois de mai précédent. Comme il avait vécu libre dans la ville après avoir fait la promesse de ne pas s'évader, il avait certainement appris l'existence d'un tel sentier. Wolfe tiendra compte de toutes ces informations.

Malgré la menace brandie par le général anglais, des centaines de Canadiens harcèlent régulièrement les campements ennemis. Des soldats sont tués et scalpés. Des Rangers de la Nouvelle-Angleterre pratiqueront eux aussi le scalp. Wolfe interdira cette pratique « excepté quand les ennemis seraient des Indiens ou des Canadiens habillés en indien ». La non-neutralité des Canadiens amène Wolfe à ordonner la destruction de la région allant de la rivière Chaudière à Kamouraska. Le 25 juillet, il fait afficher sur la porte de l'église de Saint-Henri de Lauzon une proclamation dans laquelle on lit : « Son Excellence, piqué du peu d'égards que les habitants du Canada ont eus à son placard du 27e du mois dernier, a résolu de ne plus écouter les sentiments d'humanité qui le portaient à soulager des gens aveuglés dans leur propre misère. Les Canadiens se montrent par leur conduite indigne des offres avantageuses qu'il leur faisait. C'est pourquoi il a donné ordre au commandant de ses troupes légères et à d'autres officiers de s'avancer dans le pays pour y saisir et amener les habitants et les troupeaux, et y détruire et renverser ce qu'ils jugeront à propos. » À la tête de 1 600 hommes, l'officier George Scott détruit bâtiments et récoltes. Dans son rapport dressé le 19 septembre, il fait le bilan de l'expédition : « En somme, nous avons marché sur une distance de cinquante-deux milles et, sur le parcours, nous avons brûlé 998 bons bâtiments, deux sloops, deux schooners, dix chaloupes, plusieurs bateaux plats et petites embarcations ; nous avons capturé quinze prisonniers (parmi eux, six femmes et cinq enfants) et fait cinq victimes chez l'ennemi ; il y a eu un blessé parmi nos réguliers et, chez les Rangers, deux morts et quatre blessés. »

Entre les deux armées, il y a peu d'engagements importants. Le 31 juillet, Wolfe tente un débarquement à la rivière Montmorency. Ses hommes sont repoussés avec d'importantes pertes. Le mauvais état de santé du général anglais explique en partie l'inertie de son armée. Le 31 août, ce célibataire écrit à sa mère : « Mon adversaire s'est sagement enfermé derrière des retranchements inaccessibles, de sorte que je ne puis l'atteindre sans répandre un torrent de sang et, cela, pour obtenir peu de résultats peut-être.

Le marquis de Montcalm est à la tête d'un grand nombre de mauvais soldats et j'ai sous mes ordres un petit nombre d'excellents militaires qui ne demandent pas mieux que de lui faire la lutte, mais le vieux bonhomme prudent esquive l'action, car il doute de la conduite de son armée. »

Si, chez les Français, on s'attend à une attaque du côté de Beauport, ce qui explique qu'il n'y ait qu'un petit poste de garde sur les plaines d'Abraham, Wolfe a fait son choix depuis un certain temps : le débarquement aura lieu à l'anse au Foulon. Il fait part de sa décision aux brigadiers généraux Robert Monckton et George Townshend, ainsi qu'à l'amiral Saunders, le 10 septembre. Aux généraux qui considèrent que l'endroit est peu propice à un débarquement, Wolfe répond : « Il est de mon devoir d'attaquer l'armée française. Au meilleur de ma connaissance et de mes capacités, j'ai choisi cet endroit où nous pouvons débarquer avec le plus de force et de chances de succès. Si je me trompe, j'en suis désolé et je devrai répondre de ma conduite et de ses conséquences auprès de Sa Majesté et du public. »

Le débarquement a lieu au cours de la nuit du 13 septembre 1759. On s'empare sans problème du poste de garde. À cinq heures et demie, l'alerte est donnée à Québec. Ce ne sera que 1 heure et 15 minutes plus tard que les soldats quitteront le camp de Beauport où, toute la nuit, on avait attendu l'ennemi. Peu avant 10 heures, les deux armées sont face à face. Du côté anglais, les soldats, rangés en ordre de combat, attendent l'ordre de faire feu. Du côté français, les Canadiens et les Amérindiens commencent à tirer sur l'ennemi. Montcalm hésite. Il confie à un de ses assistants : « Nous ne pouvons éviter le combat. L'ennemi se retranche; il a déjà deux pièces de canon. Si nous lui donnons le temps de s'établir, nous ne pourrons jamais l'attaquer avec le peu de troupes que nous avons. Est-il possible que Bougainville n'entende pas cela? » À Cap-Rouge, Bougainville, avec ses 2 000 hommes, attend des ordres du gouverneur, ordres qui ne viennent pas.

L'engagement dure moins d'une demi-heure et se termine par la débandade des soldats français, des miliciens canadiens et des autochtones. Wolfe meurt sur le champ de bataille, alors que Montcalm, grièvement blessé, décède au cours de la nuit suivante. On lui reprochera de ne pas avoir attendu les renforts qui lui auraient permis de prendre l'armée de Wolfe entre deux feux. Par ailleurs, le général anglais avait aussi commis une erreur importante en ne laissant pas à ses hommes la possibilité de se retirer. « Le 13 septembre, écrit l'historien Guy Frégault, devrait être connu sous le nom de la Journée des Fautes. Le demi-succès de Wolfe tient à ce que Montcalm commet encore plus d'erreur que lui ».

Des bourgeois de la capitale jugent que toute résistance devient inutile et ils font pression pour que la ville capitule, ce qui a lieu le 18 septembre. Tout n'est pas perdu, comme le fait remarquer Bougainville: « Les Anglais n'ont encore que des murs et la colonie est encore au roi. » L'armée française se retire d'abord à Pointe-aux-Trembles, puis sur la rive droite de la rivière Jacques-Cartier. Au cours de l'hiver, il y aura quelques escarmouches, mais point d'affrontements importants. Lévis, qui a succédé à Montcalm à la tête de l'armée, veut s'emparer de Québec avant l'ouverture de la navigation. Il marche donc sur Québec et le combat s'engage à Sainte-Foy, le 28 avril 1760. Le major général et gouverneur du district de Québec, James Murray, doit se replier à l'intérieur des murs de la ville après avoir subi la défaite. Commence alors un nouveau siège de Québec, les hommes de Lévis campant en face des fortifications. Le 9 mai, arrive un premier navire. Il bat pavillon anglais. Six jours plus tard, trois bâtiments de guerre jettent l'ancre devant Québec. Par la suite, l'armée française se replie sur Montréal.

Au cours de l'été 1760, trois armées marchent sur Montréal. Toute résistance devient inutile. Le gouverneur Vaudreuil décide de capituler. Lors des négociations, le vainqueur refuse aux vaincus les honneurs de la guerre. Lévis n'accepte pas de remettre ses drapeaux et il ordonne de les brûler sur l'île Sainte-Hélène, située juste en face de la ville. Le 18 septembre 1759, une ville se rendait. Le 8 septembre de l'année suivante, c'est la Nouvelle-France qui capitule. Un des articles de la capitulation concerne les milices : « Elles retourneront chez elles sans pouvoir être inquiétées sous quelque prétexte que ce soit, pour avoir porté les armes ». Les habitants se voient accorder le libre exercice de leur religion. Quant à l'obligation de payer la dîme aux curés, elle « dépendra de la volonté du roi ». L'article 32 stipule : « Les communautés de filles seront conservées dans leurs constitutions et privilèges. Elles continueront à observer leurs règles. Elles seront exemptes du logement de gens de guerre et il sera fait défense de les troubler dans les exercices de piété qu'elles pratiquent ni d'entrer chez elles ; on leur donnera des sauvegardes si elles le désirent. » Quant aux communautés d'hommes, il faudra attendre de connaître les volontés du roi d'Angleterre, qui ne leur sera pas favorable.

Les personnes désireuses de retourner en France reçoivent l'autorisation de le faire. Si aucun Canadien ou Français n'est déporté, il n'en va pas de même pour les Acadiens qui se sont réfugiés en Nouvelle-France : « C'est au roi à disposer de ses anciens sujets ; en attendant ils jouiront des mêmes privilèges que les Canadiens. » Ces derniers n'obtiennent pas l'assurance de conserver les lois françaises ni le droit de demeurer neutres advenant une nouvelle guerre. Quant aux esclaves « nègres et panis »... ils demeurent esclaves !

Tout n'est pas fini. On ignore ce que donneront les négociations qui précéderont la signature du traité de paix. Certains gardent espoir.

Les presens Articles separés auront la meme Force que s'ils etoient inserés dans le Traité.

En Foy de quoi nous Soussignés Ambassadeurs Extraordinaires et Ministres Plenipotentiaires de Leurs Majestés Britannique, Tres Chretienne, et Catholique, avons Signé les presens Articles separés et y avons fait apposer le Cachet de Nos Armes.

Fait à Paris le Dix de Fevrier Mil sept cent soixante et trois.

Bedford C.P.S. Choiseul Duc de Praslin el Marq. de Grimaldi

Par le traité de Paris du 10 février 1763, Louis XV, roi de France, George III, roi d'Angleterre, Charles III, roi d'Espagne, Joseph Ier, roi du Portugal, mettent fin à la guerre de Sept Ans. On peut remarquer que le traité qui ouvre la vallée du Saint-Laurent à la colonisation anglaise a été rédigé en français seulement...

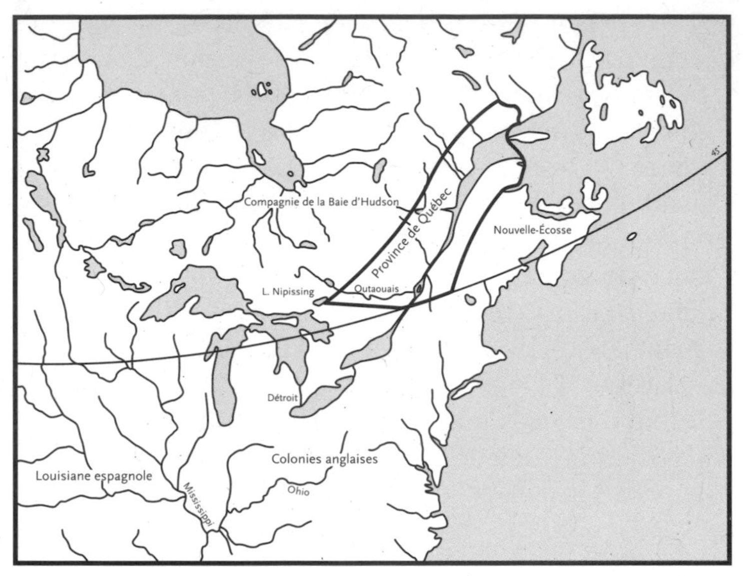

La Nouvelle-France disparaît. Les Britanniques créent une nouvelle colonie en 1763 : la Province de Québec.

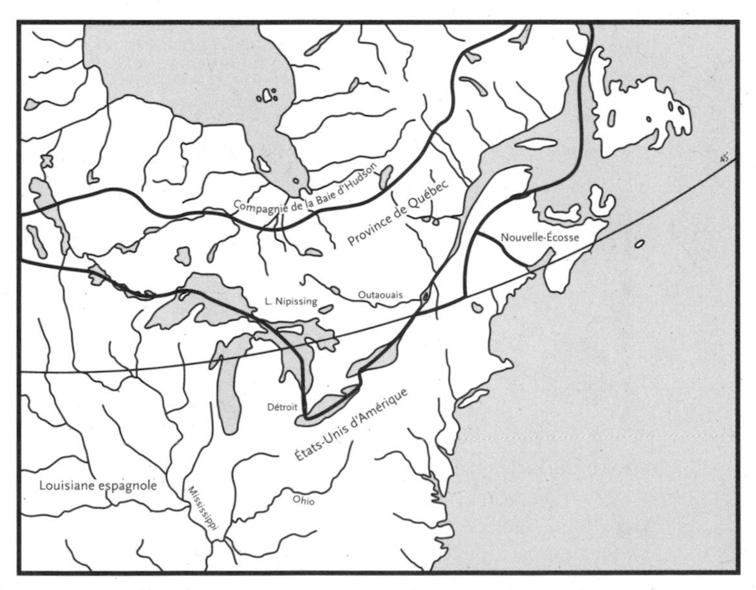

La Province de Québec est considérablement agrandie en 1774.

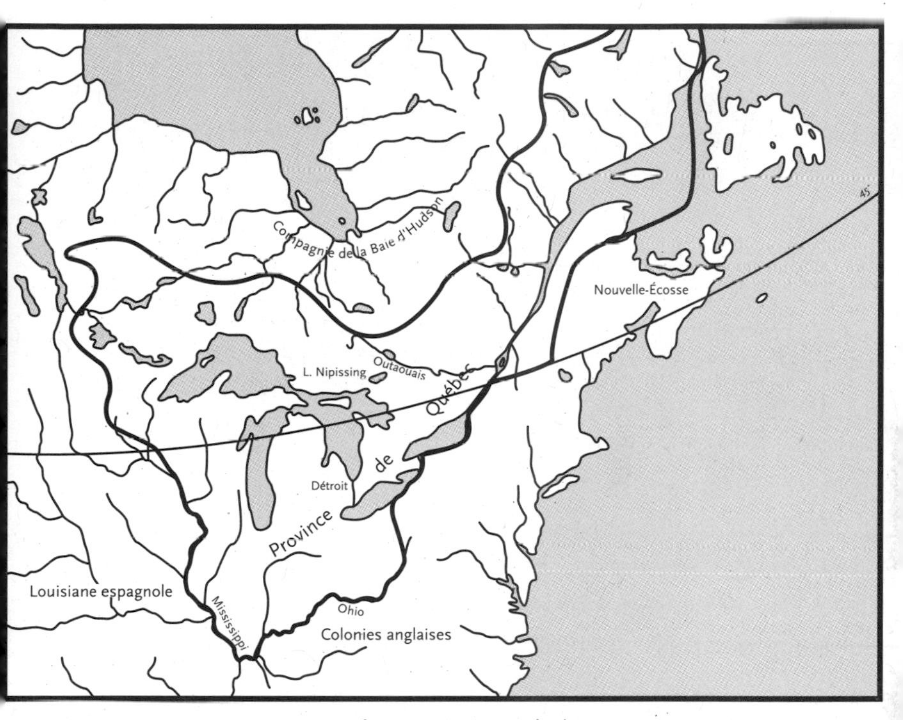

L'indépendance des États-Unis (1783) amène l'établissement de nouvelles frontières pour la province de Québec.

Une difficile cohabitation

Une des premières tâches des conquérants est de mieux connaître le territoire. Des ingénieurs de l'armée anglaise visitent les différentes paroisses du gouvernement de Montréal et prennent contact avec les capitaines de milice. Les autorités françaises ainsi que les dirigeants de l'armée ont quitté la colonie qui passe sous la direction des militaires anglais. Commence alors ce que l'on a appelé « le régime militaire ». Les habitants doivent remettre leurs armes, mais assez rapidement quelques-uns les retrouveront pour chasser.

Avec la Conquête, les Canadiens sont devenus les « nouveaux sujets » du roi d'Angleterre, les Anglais étant « les anciens sujets ». Dès le 22 septembre 1760, le général Jeffery Amherst prêche la bonne entente. « Comme il est expressément enjoint aux troupes de vivre avec l'habitant en bonne harmonie et intelligence, lit-on dans son placard, nous recommandons pareillement à l'habitant de recevoir et de traiter les troupes en frères et concitoyens. Il leur est encore enjoint d'écouter et d'obéir tout ce qui leur sera ordonné tant par nous que par leurs gouverneurs et ceux ayant droit de nous et de lui; et tant que les habitants obéiront et se conformeront auxdits ordres, ils jouiront des mêmes privilèges que les anciens sujets du roi et ils peuvent compter sur notre protection. » Le général demande aussi aux capitaines de milice de régler à l'amiable, si possible, les différends qui pourraient surgir entre nouveaux sujets, car rien n'est encore réglé au sujet des lois civiles. Tant qu'un traité de paix ne sera pas signé, le territoire ne peut être considéré comme cédé définitivement à l'Angleterre. Cela explique, en bonne partie, que les dirigeants ne prendront pas de décisions très importantes.

Le commerce est supposé être libre, mais il faut des permis et l'autorisation du gouverneur local est nécessaire pour passer d'un gouvernement à l'autre. (Il y en a trois : Montréal, Trois-Rivières et Québec.) Il va sans dire que le commerce d'importation est exclusivement entre des mains anglaises. Pour les Canadiens, le principal problème sera celui de la monnaie. Depuis plusieurs décennies, à cause du manque de numéraire dû, en bonne partie, à l'incertitude des traversées, les transactions se faisaient avec de la monnaie de carte ou des lettres d'ordonnance. Plusieurs commerçants et habitants canadiens ne disposaient que de cette sorte d'argent. Les Anglais hésitent à l'accepter ou ne le font qu'à une petite fraction de sa valeur, faisant valoir que le roi de France avait déclaré, le 15 octobre 1759, que la monnaie de papier ne valait rien!

Le régime militaire est surtout manifeste par le fait que les habitants sont obligés de loger des soldats. Quelques jeunes Canadiennes succombent aux charmes des militaires. Le curé de Sainte-Anne-de-la-

Pérade dénonce « le scandale de quelques débauchées qui se libertinent avec des soldats anglais ». Des femmes qui vivent en concubinage avec un nouveau venu se voient privées des sacrements. Le clergé craint les conséquences de ces unions mixtes sur la pratique de la religion catholique.

Il faut se rappeler qu'en Angleterre le culte romain n'a pas droit de cité ouvertement. Pour Lord Egremont, responsable des colonies, le papisme est une erreur grave. Le 12 décembre 1761, il demande à Amherst d'avertir les gouverneurs locaux « de donner des ordres précis et très exprès pour empêcher qu'aucun soldat, matelot ou autre n'insulte les habitants français qui sont maintenant sujets du même prince, défendant à qui que ce soit de les offenser en leur rappelant d'une façon peu généreuse cette infériorité à laquelle le sort des armes les a réduits ou en faisant des remarques insultantes sur leur langage, leurs habillements, leurs modes, leurs coutumes et leur pays ou des réflexions peu charitables et peu chrétiennes sur les erreurs de l'aveugle religion qu'ils ont le malheur de suivre ». Une telle prise de position ne laisse rien entendre de bon pour le clergé catholique, surtout pour le choix d'un nouvel évêque, monseigneur Henri-Marie Dubrel de Pontbriand étant décédé en juin 1760. Il faudra attendre six années pour que Jean-Olivier Briand soit sacré, avec la plus grande discrétion possible, septième évêque du diocèse de Québec. Et il faudra la tolérance du gouverneur James Murray pour que Briand puisse exercer une certaine autorité.

Le sort de l'ancienne colonie française est réglé définitivement le 10 février 1763, à Paris, par la signature d'un traité de paix rédigé en langue française.

L'article 4 stipule que « Sa Majesté très chrétienne cède et garantit à Sadite Majesté Britannique, en toute propriété le Canada avec toutes ses dépendances, ainsi que l'île du Cap-Breton et toutes les autres îles et côtes, dans le golfe et fleuve Saint-Laurent et généralement tout ce qui dépend desdits pays ». Il est précisé que cette cession est définitive. De plus, « Sa Majesté Britannique convient d'accorder aux habitants du Canada la liberté de la religion catholique ; en conséquence, elle donnera les ordres les plus précis et les plus effectifs pour que ses nouveaux sujets catholiques romains puissent professer le culte de leur religion selon le rite de l'Église romaine, en tant que le permettent les lois de la Grande-Bretagne ». Or ces lois ne permettent rien à ce sujet ! Ce sera un problème à régler.

Toujours en vertu de l'article 4, celles et ceux qui voudront retourner en France ou s'y installer s'ils sont nés dans la colonie auront 18 mois pour le faire. Le Canada sera alors amputé d'une autre partie de son « élite » : seigneurs, bourgeois, marchands. La Proclamation royale du 7 octobre suivant viendra préciser quelques autres points. Tout d'abord, « The Province of Quebec » [telle est la nouvelle façon de nommer la colonie], aux frontières étroites, pourra posséder une chambre d'assemblée lorsque les autorités jugeront le temps venu. De plus, permission est accordée d'établir des tribunaux « pour entendre et juger toutes les causes aussi bien criminelles que civiles, suivant la loi et l'équité, conformément autant que possible aux lois anglaises ». Va donc se poser assez rapidement la question de l'existence des lois civiles françaises qui ont servi depuis des générations à la rédaction des contrats de vente et d'achat, des testaments, de propriété, de mariage, etc.

Comme la population de langue anglaise est encore peu nombreuse, il ne saurait être question d'assimiler les Canadiens. Mais, en 1766, Francis Maseres, le procureur général de la province, considère que le seul moyen de faire disparaître l'opposition naissante entre francophones et anglophones, c'est tout simplement l'assimilation des premiers. « Il s'agit de maintenir dans la paix et l'harmonie et de fusionner pour ainsi dire en une seule, deux races qui pratiquent actuellement des religions différentes, parlent des langues qui leur sont réciproquement étrangères et sont, par leurs instincts, portées à préférer des lois différentes. La masse des habitants est composée ou de Français ordinaires de la vieille France ou de Canadiens nés dans la colonie, parlant la langue française seulement et formant une population évaluée à 90 000 âmes, ou comme les Français l'établissent par leur mémoire, à 10 000 chefs de famille. Le reste des habitants se compose de natifs de la Grande-Bretagne ou d'Irlande ou des possessions britanniques d'Amérique du Nord qui atteignent actuellement le chiffre de 600 âmes. Néanmoins, si la province est administrée de manière à donner satisfaction aux habitants, ce nombre s'accroîtra chaque jour par l'arrivée de nouveaux colons qui y viendront dans le dessein de se livrer au commerce ou à l'agriculture, en sorte qu'avec le temps il pourra devenir égal, même supérieur à celui de la population française. »

Des membres de la minorité anglophone multiplient les pétitions demandant que seules les lois anglaises soient autorisées dans la colonie et qu'eux seuls puissent agir comme jurés lors de procès. Ils réclament également l'établissement d'une chambre d'assemblée où seuls des « anciens sujets » pourraient être élus députés ! Déjà, les catholiques étaient écartés de plusieurs postes de l'administration publique parce qu'ils ne pouvaient pas prêter le « serment du test » qui aurait constitué un reniement de leur foi.

Heureusement pour les Canadiens, la situation qui prévaut dans les treize colonies américaines va accélérer la solution de plusieurs de leurs problèmes. Londres se préoccupe de l'attitude éventuelle des Canadiens advenant un soulèvement de ses sujets de Nouvelle-Angleterre. De plus, quelques juristes britanniques se sont penchés sur les conséquences du maintien des lois civiles françaises.

À partir du mois de décembre 1773, alors que « la populace de Boston », pour reprendre l'expression utilisée par la *Gazette de Québec*, premier journal publié dans la province de Québec, jette à la mer une cargaison de thé pour protester contre une nouvelle taxe, le vent révolutionnaire souffle de plus en plus fort sur les treize colonies. Le Parlement de Londres adopte cinq lois que les Américains jugent intolérables. Le *Quebec Act* constitue la cinquième de ces lois ! Le 22 juin 1774, le roi George III accorde la sanction royale au projet de loi. Le territoire de la province est fortement agrandi pour inclure la région des Grands Lacs que l'on veut soustraire aux visées des Treize Colonies. Un conseil législatif composé de 17 à 23 membres assistera le gouverneur. Les lois civiles françaises sont reconnues et, au criminel, seules les lois anglaises seront appliquées. Cette décision réjouit les Canadiens : ils se voient confirmer le droit d'utiliser les lois civiles françaises et ils sont heureux de « passer » sous les lois criminelles anglaises. À l'avenir, ce sera à la Couronne de prouver la culpabilité d'un accusé, alors que, sous les lois françaises, c'était à l'accusé de prouver son innocence. Au chapitre de la religion, les gains sont importants : le serment du test est aboli ; les curés sont autorisés à percevoir la dîme et le libre exercice de la religion catholique est autorisé « sous la suprématie du roi ».

Le *Quebec Act* est très bien accueilli par les Canadiens, mais certains « anciens sujets » acceptent mal les concessions concernant la religion catholique. À Montréal, la veille de l'entrée en vigueur de la nouvelle loi, soit le 30 avril 1775, des individus barbouillent de noir le buste du roi George III installé à la place d'Armes et lui installent au cou un collier de pommes de terre avec une croix en bois et l'inscription « Le Pape du Canada ou le sot Anglais ». Dans plusieurs des Treize Colonies, on demande que Londres rappelle cette loi. À Philadelphie, lors du premier congrès général, le 21 octobre 1774, une adresse « au peuple de la Grande-Bretagne » est adoptée dans laquelle on lit : « Nous ne pouvons nous empêcher d'être étonnés qu'un Parlement britannique ait consenti à établir une religion qui a inondé de sang votre île et qui a répandu l'impiété, la bigoterie, la persécution, le meurtre et la rébellion dans toutes les parties du monde. » Cinq jours plus tard, les membres du même congrès adoptent le texte d'une lettre adressée aux Canadiens les invitant à devenir le 14e État des futurs États-Unis. Après avoir souligné toutes les injustices dont sont victimes les « nouveaux sujets », les congressistes leur promettent le respect de leurs lois et de leur religion (!). Ils ajoutent : « Saisissez l'occasion que la Providence elle-même vous offre, votre conquête vous a acquis la liberté si vous vous comportez comme vous devez, cet événement est son ouvrage ; vous n'êtes qu'un très petit nombre en comparaison de ceux qui vous invitent à bras ouverts de vous joindre à eux ; un instant de réflexion doit vous convaincre qu'il convient mieux à vos intérêts et à votre bonheur, de vous procurer l'amitié constante des peuples de l'Amérique septentrionale, que de les rendre vos implacables ennemis. »

Trouvant sans doute que les Canadiens ne répondent pas assez vite à l'appel lancé, deux armées d'insurgés américains envahissent la province : une première, dirigée par Richard Montgomery, descend la rivière Richelieu et réussit à s'emparer de Montréal, presque sans combat ; la seconde, sous les ordres de Benedict Arnold, se dirige sur Québec par la rivière Chaudière. Le 31 décembre 1775, lors d'une importante tempête de neige, les envahisseurs subissent la défaite sous les murs de la capitale. Mais ils assiégeront la ville jusqu'à l'ouverture de la navigation et l'arrivée de 4 800 mercenaires allemands venus prêter main-forte aux Britanniques peu enthousiasmés d'avoir à combattre des compatriotes.

Peu de Canadiens avaient manifesté une grande ardeur à défendre leur nouvelle mère patrie. Quelques-uns avaient même pris les armes en faveur des insurgés. Le 25 mars 1776, à Saint-Pierre-du-Sud, non loin de Montmagny, un combat s'engage entre fidèles sujets de Sa Majesté et Canadiens rebelles. On voit alors des pères se battre contre des fils ou des membres de mêmes familles. Les sympathisants à la cause américaine n'avaient pas tenu compte des recommandations de l'évêque Briand. Ceux-ci avaient fort bien compris qu'ils seraient privés des sacrements s'ils prenaient les armes. Le 25 octobre 1775, Briand avait écrit au curé de Saint-Thomas de Montmagny: « Quant aux sacrements, vous ne les donnerez point, pas même à la mort, sans rétractation, et réparations publiques du scandale, ni à hommes, ni à femmes; et ceux qui mourront dans l'opiniâtreté, vous ne les enterrerez point en terre sainte sans notre permission, et si vous les y enterrez, ce que nous ne vous défendons pas de faire absolument, vous n'y assisterez qu'en soutane, comme surveillant et sans réciter aucune prière et les corps n'entreront point dans l'église, que nous vous ordonnons de tenir fermée, hors le temps des offices. » Si l'on tient compte de l'enseignement théologique de l'époque, l'attitude de l'évêque est compréhensible. Selon saint Paul, toute autorité vient de Dieu et s'insurger devant une autorité dûment établie, c'est s'insurger contre Dieu. Or l'autorité britannique, en vertu du Traité de Paris de 1763, est une autorité légalement établie. Cela signifie que l'on ne peut prendre les armes contre Sa Majesté. Cet enseignement expliquera aussi la conduite de l'évêque du diocèse de Montréal, Jean-Jacques Lartigue, lors des soulèvements de 1837-1838.

La fin du siège de Québec et le repli des insurgés américains marquent le début des règlements de comptes. Le gouverneur nomme trois commissaires chargés de juger de la conduite des habitants et surtout des capitaines de milice. Ceux qui, parmi ces derniers, avaient été trop mous ou avaient ouvertement pris faits et causes pour les envahisseurs sont relevés de leur poste. À l'île d'Orléans, entre autres, des femmes avaient fait des discours enflammés en faveur des Américains. Elles reçoivent le surnom de « reines de Hongrie ».

En 1778, il est à nouveau question d'envahir la province. L'année précédente, le marquis de La Fayette était venu prêter main-forte aux Américains qui avaient déjà proclamé leur indépendance et qui devaient maintenant la gagner. L'amiral français Henri, comte d'Estaing, lance à son tour une nouvelle invitation aux Canadiens pour qu'ils adhèrent à la cause américaine. « Vous êtes nés Français, leur écrit-il, vous n'avez pu cesser de l'être. [...] Je ne ferai point sentir à tout un peuple car tout un peuple, quand il acquiert le droit de penser et d'agir, connaît son intérêt ; que de se lier avec les États-Unis, c'est s'assurer son bonheur ; mais je déclarerai, comme je le déclare solennellement au nom de Sa Majesté [Louis XVI] qui m'y a autorisé et qui m'a ordonné de la faire, que tous ses anciens sujets de l'Amérique septentrionale qui ne reconnaîtront pas la suprématie de l'Angleterre peuvent compter sur sa protection et son appui. » Il n'en fallait pas plus pour que quelques Canadiens commencent à rêver d'un retour à la France !

Frederick Haldimand, gouverneur de la colonie depuis 1777, est un militaire qui a la poigne dure et qui n'accepte rien de ce qui peut ressembler à une rébellion ou à un complot. Il part en guerre contre ceux qui sympathisent trop soit avec les Américains, soit avec les Français. Quelques-uns vont se retrouver derrière les barreaux. Le marchand montréalais Pierre Du Calvet est un de ceux-là. Après quelques années de détention, il se rendra à Londres pour réclamer justice et se fera l'apôtre des institutions démocratiques.

Le 3 septembre 1783, un traité de paix met fin au conflit entre la Grande-Bretagne et les États-Unis.

Des milliers de citoyens du nouveau pays veulent demeurer sujets britanniques. Ces loyalistes, comme on les appellera, émigreront surtout en Nouvelle-Écosse, ce qui amènera la création, en 1784, d'une nouvelle colonie, celle du Nouveau-Brunswick. La province de Québec en accueillera environ 7 000. Ces derniers arrivent avec l'auréole des martyrs. Les autorités anglaises devront se montrer généreuses à leur égard. On leur concédera des terres en dehors de la zone seigneuriale, car ces loyaux sujets n'accepteraient pas de devoir rendre hommage à un seigneur canadien ! De plus, ils dénoncent l'existence des lois civiles françaises et la forte présence de la religion catholique. Comme, dans les Treize Colonies, ils participaient à la vie politique en élisant des députés dans les Parlements, ils réclament la création d'une Chambre d'assemblée. Plusieurs des changements demandés déplaisent aux Canadiens.

Jusqu'ici, ce nom de « Canadiens » ne désignait que les sujets francophones. Or, en 1787, le maître de poste Hugh Finlay réclame le droit de s'appeler, lui aussi, Canadien : « Certaines gens affectent d'appeler les sujets naturels du roi nouveaux Canadiens. Celui qui a mieux aimé, disent-ils, fixer au Canada sa résidence a perdu son titre d'Anglais. Les vieux Canadiens sont ceux que nous avons assujettis en 1760 et leurs descendants ; les nouveaux Canadiens comprennent les émigrés de l'Angleterre, de l'Écosse, de l'Irlande et des colonies, maintenant les États-Unis. Par la loi de la 14e année du règne de Sa Majesté actuelle (le *Quebec Act*) ils deviennent des Canadiens et Canadiens ils doivent rester toujours. » Mais il faudra attendre plusieurs décennies avant que les anglophones s'appellent « Canadiens », ce qui amènera alors les Canadiens francophones à adopter l'appellation de « Canadiens français ».

Les revendications des Loyalistes et le modèle américain inciteront les autorités londoniennes à introduire des institutions parlementaires dans la Province de Québec. La Chambre des communes étudie donc un projet de loi en ce sens. Comme les Loyalistes exigent un « district séparé », il est décidé de diviser le territoire de la province de Québec en deux afin que, dans la partie est, les francophones soient en majorité et que, dans la partie ouest, les Loyalistes soient eux aussi majoritaires. La frontière sera située à la limite ouest de la dernière seigneurie, soit celle de Vaudreuil. L'appellation « province of Quebec » disparaît donc pour laisser place à deux nouveaux toponymes : le Bas-Canada et le Haut-Canada.

Autre point important : l'une et l'autre partie auront chacune leur Parlement. Pour le premier ministre William Pitt, une des conséquences de l'entrée en vigueur de cette nouvelle constitution sera de favoriser l'assimilation des Canadiens. « Les sujets français, déclare-t-il, se convaincront ainsi que le gouvernement britannique n'a aucune intention de leur imposer les lois anglaises. Et alors ils considéreront d'un esprit plus libre l'opération et les effets des leurs. Ainsi, avec le temps, ils adopteront peut-être les nôtres par conviction. Cela arrivera beaucoup plus probablement que si le gouvernement entreprenait soudain de soumettre tous les habitants du Canada à la constitution et aux lois de ce pays. Ce sera l'expérience qui devra leur enseigner que les lois anglaises sont les meilleures. Mais ce qu'il faut admettre, c'est qu'ils doivent être gouvernés à leur satisfaction. »

L'Acte constitutionnel reçoit la sanction royale le 10 juin 1791. Le Haut et le Bas-Canada auront chacun un conseil législatif et une Chambre d'assemblée. Celle du Bas-Canada se composera de 50 députés. La loi précise les conditions requises pour être éligible au poste de représentant du peuple. Ces députés seront élus à la majorité des voix. Quant aux électeurs, ils devront être âgés d'au moins 21 ans révolus, être sujets britanniques de naissance ou par voie de conquête ou par naturalisation. De plus, ils ne devront pas avoir été condamnés pour trahison ou félonie. Comme le texte de loi utilise le mot « personne », les femmes qui ont les mêmes qualifications que les hommes auront le droit de vote, un droit qui disparaîtra officiellement seulement en 1849, même si, depuis plusieurs années, elles ne votaient plus.

Les premières élections auront lieu au cours de l'été 1792. Le Bas-Canada est divisé en 20 circonscriptions électorales. Certaines ont droit à deux représentants. La votation n'aura pas lieu en même temps dans tous les comtés, ce qui permettra à un candidat défait de se présenter dans une autre circonscription. Le vote est ouvert, c'est-à-dire que l'électeur déclare à haute et intelligible voix à l'officier rapporteur à qui il accorde son vote. L'officier inscrit ce vote dans un cahier spécial. On sait donc alors quel candidat est en avance. Il n'y a qu'un seul bureau de votation par circonscription et il demeure ouvert tant qu'il ne s'est pas écoulé une heure sans voteur. Une élection peut donc durer plusieurs jours. Rapidement on se rendra compte qu'en bloquant pendant une heure les routes qui conduisent au bureau de votation les partisans font gagner leur candidat.

La population du Bas-Canada étant très majoritairement francophone, on se demande quelle sera la représentation des anglophones. Un correspondant du journal *Quebec Herald* ne cache pas sa crainte. Il demande à ses compatriotes qui ont réclamé une Chambre d'assemblée : « Avez-vous jamais pensé, lorsque vous demandiez une Chambre d'assemblée, qu'il y a dans la province de Québec dix-neuf Canadiens à être représentés contre un Anglais ? Ne voyez-vous pas que, dans les conditions actuelles, il y a cinquante à parier contre un que les Canadiens n'éliront pas un seul Anglais ? Avez-vous pris en considération cette question avant de demander par pétition des maîtres pour vous gouverner ? » Celui qui signait « John Bull » se trompait. Lorsque les élections sont terminées, alors que les anglophones ne représentent que 10 pour cent de la population, le tiers de la députation est de langue anglaise. Diverses raisons expliquent ces résultats : certains Canadiens sont convaincus qu'ils seront mieux représentés par un anglophone, vu que les Anglais connaissent depuis longtemps le fonctionnement du parlementarisme ; comme le vote était ouvert et que certains candidats étaient des employeurs, des propriétaires de seigneuries ou des prêteurs, il aurait été dangereux pour un Canadien de refuser son vote à un tel personnage.

La première session du premier Parlement commence le 17 décembre 1792. La question de l'appartenance ethnique se pose dès le départ. De quelle nationalité sera l'« orateur » ou le président de la chambre ? Sera-t-il un Canadien ou un ancien sujet ? Le député Joseph Papineau fait remarquer « qu'on ne pouvait pas supposer qu'aucun Canadien dut être privé de ses droits parce qu'il n'entendait pas l'anglais ». Jean-Antoine Panet sera élu président par 28 voix contre 18, trois députés francophones votant avec la députation anglaise.

Députés et électeurs ne se rendent pas immédiatement compte que le parlementarisme deviendra avant longtemps un cadeau de Grecs. L'historien Lionel Groulx a qualifié de « parlementarisme truqué » le nouveau système mis en place. Car « parlementarisme » et « démocratie » sont deux choses très différentes. Tout projet de loi voté par la Chambre d'assemblée doit être approuvé par le Conseil législatif dont les membres sont nommés à vie par les autorités anglaises. Ensuite, la décision appartient au gouverneur : il peut accorder la sanction royale à un projet de loi, la refuser ou en suspendre l'adoption pour une période maximale de deux années en attendant de la décision royale. Ce processus d'adoption signifie donc que les députés n'ont pas de pouvoir réel. Viendra un jour où ils décideront d'en réclamer avec de plus en plus de force, surtout lorsqu'ils se rendront compte qu'ils ne contrôlent ni le processus législatif ni le budget.

Le massacre de Boston du 5 mars 1770 annonce la Révolution américaine qui conduit à la séparation des Treize Colonies et à la création des Haut et Bas-Canada dotés d'institutions parlementaires.

La marche vers l'affrontement

AU DÉBUT DU MOIS DE FÉVRIER 1793, la guerre éclate entre la France et la Grande-Bretagne. Dans l'ancienne mère patrie, la révolution fait de plus en plus de victimes. Au Bas-Canada, les autorités anglaises craignent la venue d'espions français. À Paris, des révolutionnaires présentent des mémoires demandant que l'on reprenne un territoire que la royauté a abandonné. Le citoyen Edmond-Charles Genêt, représentant du gouvernement français auprès du Congrès de Philadelphie, écrit une lettre aux Canadiens de la part des « Français libres ». C'est une invitation au soulèvement : « Aujourd'hui, déclare-t-il, nous sommes libres, nous sommes rentrés dans nos droits ; nos oppresseurs sont punis, toutes les parties de notre administration sont régénérées et, forts de la justice de notre cause, de notre courage et des immenses moyens que nous avons préparés pour terrasser tous les tyrans, il est enfin en notre pouvoir de vous venger et de vous rendre aussi libres que nous, aussi indépendants que vos voisins, les Américains des États-Unis. Canadiens, imitez leurs exemples et le nôtre, la route est tracée, une résolution magnanime peut vous faire sortir de l'état d'abjection où vous êtes plongés. » Voulant joindre le geste à la parole, une petite flotte française quitte la baie de Chesapeake pour venir « libérer » Québec. Mais, comme la saison est avancée et que le commandant craint l'hiver canadien, il change de cap et se dirige vers Bordeaux.

La menace française engendrera une chasse aux espions, aux étrangers et aux sympathisants. Une loi réorganisera la milice ; cette réforme déplaira à plusieurs Canadiens qui manifesteront bruyamment leur désapprobation. Il en sera de même pour une autre loi concernant l'entretien des chemins.

Au cours des premières années du XIXe siècle, la tension entre les deux groupes ethniques commence à monter. Les autorités anglaises décident d'intervenir dans le monde de l'enseignement, répondant ainsi à un souhait de l'évêque anglican de Québec, Jacob Mountain, qui avait écrit en octobre 1799 : « L'ignorance de la langue anglaise de la part des Canadiens établit une ligne de démarcation entre eux et les sujets de Sa Majesté en cette province, démarcation nuisible au bien-être et à la félicité des deux éléments et contribue à diviser en deux peuples ceux que leur situation, leurs intérêts communs et leur égale participation aux mêmes lois et à la même forme de gouvernement devraient unir en un seul. » Les écoles de « l'Institution royale », votée en 1801, auront peu de succès.

Il n'y a pas que l'évêque anglais qui réclame l'anglicisation du Bas-Canada. Dans les colonnes de l'hebdomadaire *Quebec Mercury*, on trouve régulièrement des attaques contre les Canadiens. Dans l'édition du 27 octobre 1806, on pouvait lire sous la signature d'« Anglicanus », ceci : « Cette province est déjà une province trop française pour une colonie britannique. [...] Mon grief est contre le résultat inévitable du développement inutile de la langue française dans un pays où une politique de bon sens requiert sa diminution plutôt que sa propagation. [...] Une éducation française formera toujours un Français, quel que soit le gouvernement sous lequel il naît et il servira la France de préférence à l'Angleterre. [...] Après 47 ans de possession du Québec, il est temps que cette province soit anglaise ! » Pour répondre à de tels propos, des dirigeants canadiens mettent sur pied un premier journal exclusivement de langue française, *Le Canadien*. La nouvelle publication veut venger l'honneur des Canadiens. « On leur a fait des crimes, on leur en a fait même de se servir de leur langue maternelle pour exprimer leurs sentiments et leur faire rendre justice, lit-on dans le prospectus, mais les accusations n'épouvantent que les coupables, l'expression sincère de la loyauté est loyale dans toutes les langues, celle de la déloyauté, de la bassesse et de l'envie, celle qui sème la division entre les concitoyens qui ont à vivre en frères, déshonorent également toutes les langues. »

L'opposition qui existe entre le *Quebec Mercury* et *Le Canadien* n'est que l'écho de ce qui se passe à la Chambre d'assemblée. Il n'y a pas encore vraiment de parti politique, mais la démarcation entre les deux groupes ethniques est de plus en plus nette. La députation francophone dénonce le fait que les juges, qui sont nommés par le gouvernement, puissent être élus et siéger comme députés. Il y a là un mariage dangereux entre le législatif et le judiciaire. L'élection d'un député d'origine juive fera, elle aussi, l'objet d'une contestation, beaucoup plus parce que l'élu est trop proche de l'autorité anglaise que parce qu'il est juif!

Le gouverneur James Craig, un militaire en poste depuis 1807, est peu sympathique aux revendications des députés francophones. De plus, il a tendance à voir de la conspiration un peu partout. Par contre, il est sensible à l'évolution des mentalités. Certaines personnes de son entourage prônent l'adoption de moyens pour assimiler le plus rapidement possible les francophones. Craig fait mettre aux arrêts les dirigeants du journal *Le Canadien*, publication qu'il juge séditieuse. Dans une lettre du 1er mai 1810 aux autorités britanniques, il souligne une nouvelle appellation utilisée par les Canadiens: « Leurs habitudes, leur langue et leur religion sont restées aussi différentes des nôtres qu'avant la conquête. En vérité, il semble que ce soit leur désir d'être considérés comme formant une nation séparée. La Nation canadienne est leur expression constante et, quant à la considération qu'ils ont été jusqu'à présent de paisibles et fidèles sujets, il suffit de faire remarquer à cet égard qu'il ne s'est produit aucun événement pour les encourager à se montrer autrement. »

L'occasion se présente en 1812 alors que la guerre éclate entre les États-Unis et la Grande-Bretagne. Depuis le début du conflit entre la France et cette dernière, les États-Unis étaient demeurés neutres. Mais leur entrée en guerre signifie une éventuelle invasion des Canadas. La fidélité des Canadiens à leur nouvelle mère patrie sera quasi inconditionnelle. On verra les Voltigeurs canadiens, dirigés par Charles-Michel Iroumberry de Salaberry, participer activement à la victoire lors de la bataille de Châteauguay, le 26 octobre 1813.

En Europe occidentale, l'empereur Napoléon remporte des victoires et subit des défaites. Dans une tentative pour empêcher tout développement de la marine anglaise, il interdit, en novembre 1806, toute relation avec la Grande-Bretagne. Ce blocus obligera celle-ci à s'approvisionner en bois ailleurs que dans les pays nordiques pour la construction de ses navires. Les Canadas deviennent alors les principaux fournisseurs. Cela signifie que l'exploitation forestière remplacera, en bonne partie, la traite des fourrures. Les Canadiens se transformeront donc en bûcherons. L'Outaouais devient la première région à exploiter. Les billes de bois, assemblées en radeaux ou cages, descendent la rivière des Outaouais, puis le fleuve Saint-Laurent jusqu'à Québec où elles sont embarquées à bord de navires à destination de la Grande-Bretagne. Les « cageux » seront aussi appelés des *raftmen*. Jos Montferrant sera le plus célèbre d'entre eux. Pour l'historien Fernand Ouellet, ce changement dans l'économie bas-canadienne marque « un point tournant pour la société canadienne-française ». « Le commerce du bois, écrit-il, provoque le développement d'une classe de débardeurs. [...] Il a non seulement attiré les capitaux et déterminé d'importants investissements, mais il est devenu la principale source de bénéfices susceptibles d'être réinvestis dans le développement de la colonie. À ce titre, il fait figure d'entreprise essentiellement anglo-canadienne. »

Le 24 décembre 1814, le traité de Gand met fin à la guerre entre les États-Unis et la Grande-Bretagne. Le mois précédent, des Canadiens avaient fait parvenir un mémoire aux autorités britanniques dans lequel ils faisaient le bilan de leurs revendications :

« Comme les Canadiens composent la masse du peuple, la majorité de la Chambre d'assemblée s'est trouvée composée de Canadiens et les Anglais, avec quelques Canadiens dévoués, ont formé la minorité ; et comme les Canadiens de la majorité, librement élus par le peuple, ne se trouvaient pas avoir le dévouement nécessaire, ils n'ont pu avoir part aux places. Les membres qui ont été faits conseillers exécutifs ont été pris dans la minorité. » La majorité se sent donc lésée. Ses revendications vont devenir de plus en plus précises et de plus en plus pressantes.

À la Chambre d'assemblée, la majorité des députés francophones vont se retrouver au sein du Parti canadien, car c'est vers cette époque qu'apparaissent les premiers partis politiques « canadiens ». En 1815, Louis-Joseph Papineau est élu président de la Chambre. Son ascendant sur les autres députés en fera le chef. On s'était rendu compte que le gouverneur était la seule courroie de transmission des revendications des Canadiens auprès des autorités londoniennes. On s'était aussi rendu compte qu'une certaine sélection s'effectuait dans les demandes, d'autant plus que celles qui étaient transmises l'étaient avec une interprétation « gouvernementale ». Un comité de la Chambre réclame donc la nomination d'un agent. « Il existe, affirme-t-il, une nécessité particulière et pressante de nommer pour la province du Bas-Canada un agent qui résidera dans la Grande-Bretagne afin de dissiper le malaise des habitants de cette province ; et cela, à l'heure présente surtout, car ils craignent que des efforts ne soient faits présentement pour préjudicier contre eux le gouvernement impérial et la nation anglaise et pour opérer un changement dans la constitution gratuite qui leur a été accordée par la sagesse anglaise, au moyen de l'union des deux provinces du Haut-Canada et du Bas-Canada, dont la langue, les lois et les coutumes sont totalement différentes. Leur malaise cessera dès qu'ils auront un agent résident en Angleterre. » Cette demande n'aura pas de suite, du moins pour le moment.

La question de la présence des juges qui siègent comme députés demeure. À partir de 1818, s'en ajoute une nouvelle : le contrôle des dépenses publiques, ce que l'on appellera « la querelle des subsides ». En Grande-Bretagne, la liste civile, c'est-à-dire les salaires payés aux employés de l'État, est adoptée en bloc pour la vie durant du souverain. Or, les députés bas canadiens veulent étudier chacun des cas et voter en détail ladite liste civile, car ils savent que certains reçoivent des montants pour des tâches qu'ils ne remplissent pas. Ils veulent aussi mettre fin aux sinécures. Ce qu'ils réclament en fait, c'est le pouvoir de contrôler ensemble des dépenses du gouvernement, y compris la liste civile, puisqu'on leur demande des « subsides » pour l'acquitter. La querelle des subsides va, à plusieurs reprises, paralyser les travaux de la Chambre et déboucher sur un cul-de-sac. L'attitude des gouverneurs variera selon leur personnalité.

Un autre problème est celui du partage des revenus de la douane entre le Haut et le Bas-Canada. Toutes les marchandises importées arrivent dans le port de Québec, même celles qui sont destinées à la colonie voisine. Pour certains, la solution la plus simple est l'union des deux colonies. En 1822, le Parlement de Londres étudie donc un projet d'union proposant qu'il n'y ait à l'avenir qu'une seule Chambre d'assemblée et un seul Conseil législatif. Dans le Bas-Canada, il est question d'augmenter le nombre de circonscriptions électorales en en créant de nouvelles dans les *townships*. L'arrivée des Loyalistes et de nouveaux immigrants en provenance de Grande-Bretagne avait nécessité l'ouverture de nouvelles régions à la colonisation et à l'agriculture. Ces régions étaient situées en dehors des zones occupées par le régime seigneurial. On crée donc des *townships* qui mesurent habituellement 10 milles de côté. Les terres concédées le sont en franc et commun soccage, c'est-à-dire que ceux qui obtiennent des lots n'ont pas à payer de rentes et qu'ils ne sont soumis à aucun seigneur. Ils devenaient propriétaires du fonds de terre. Au Bas-Canada, plusieurs de ces *townships* ou cantons étaient situés au sud de la région de Montréal et sont connus sous l'appellation de *Eastern Townships* ou cantons de l'Est, parce qu'ils sont situés à l'est des cantons concédés dans le Haut-Canada.

La question de l'union des deux Canadas va créer de grands remous. Les unionnaires ne verront que du bien dans le projet, tandis que les anti-unionnaires, regroupant surtout des Canadiens, s'opposeront au projet. Des dizaines de pétitions seront acheminées à Londres. Louis-Joseph Papineau et John Neilson seront délégués dans la capitale britannique pour faire valoir les raisons qui militent contre l'éventuelle union. Au moment de leur arrivée à Londres, le projet a déjà été mis de côté. Mais les délégués constatent les pressions exercées par Andrew Stuart, représentant des unionnaires. Dans le mémoire soumis par ce dernier, on lisait en effet : « Le Bas-Canada est en majeure partie habité par une population qu'on peut appeler un peuple étranger, bien que plus de soixante ans se soient écoulés depuis la Conquête. Cette population n'a fait aucun progrès vers son assimilation à ses concitoyens d'origine britannique. » Des anglophones déçus de la tournure des événements demandent une partition du Bas-Canada pour que l'île de Montréal soit rattachée au Haut-Canada. Pour certains, la solution consisterait en une union de toutes les colonies anglaises d'Amérique du Nord.

À Québec, l'attitude de la majorité des députés francophones sur la question des subsides paralyse presque complètement les travaux de la Chambre. L'emprise de Louis-Joseph Papineau est de plus en plus forte. Il est le leader, parfois contesté il est vrai, des membres du Parti canadien. Une certaine opposition vient de personnes de la région de Québec qui trouvent que Papineau commence à être trop radical.

Deux événements, de nature très différente, vont faire monter la tension en 1832. Lors d'une élection partielle à Montréal, à cause du mode électoral, la votation dure depuis plus de 20 jours. On craint le pire. La présence de l'armée devient nécessaire pour maintenir le calme. Le lundi 21 mai, la bousculade commence et on tire sur la foule. Résultat : trois morts, tous trois francophones ! Le journal *La Minerve* lance presque un appel à saveur raciale : « N'oublions jamais le massacre de nos frères ; que tous les Canadiens transmettent de père en fils, jusqu'aux générations futures les plus éloignées, les scènes du 21 de ce mois ; que les noms des pervers qui ont tramé, conseillé et exécuté cet attentat soient inscrits dans nos annales, à côté de ceux de nos défenseurs pour que les premiers soient voués à l'infamie, à l'exécration, et pour que les autres soient rappelés aux souvenirs de nos arrière-petits-fils avec honneur et reconnaissance. » Le gouverneur Lord Aylmer a la malencontreuse idée de féliciter les officiers qui ont donné ordre de faire feu ! Cela ne sera pas pour calmer les esprits !

L'autre événement, c'est le choléra, qui va ravager le Bas-Canada et causer plus de 10 000 décès. L'arrivée massive d'immigrants, la plupart irlandais, serait à l'origine de l'épidémie. Des membres du Parti canadien accuseront les dirigeants de la Grande-Bretagne d'avoir voulu ainsi décimer la population canadienne ! Un recensement dressé en 1831 montre que le Bas-Canada compte alors 583 000 habitants, dont 43 700 vivent à Montréal et 27 100 à Québec. La majorité de la population vit en milieu rural.

Dans les journaux de langue française aussi bien que dans ceux de langue anglaise, les nouvelles concernant les mouvements d'indépendance en Amérique latine ou encore les révolutions qui se multiplient en Europe occidentale suscitent beaucoup d'intérêt chez les leaders du Bas et du Haut-Canada. Il est de plus en plus question de la « souveraineté des peuples », un « droit » qui est une erreur aux yeux de l'évêque de Montréal, Jean-Jacques Lartigue. Le 30 septembre 1833, le jeune avocat Pierre Winters écrit à Ludger Duvernay, éditeur de *La Minerve* : « J'espère qu'on cessera de pétitionner humblement et que nous parlerons en hommes libres ou du moins nés pour la liberté. Alors j'espère que le cri universel et d'un bout du pays à l'autre sera la liberté ou la mort et que nous chanterons Vivre libres ou mourir. »

Le ton monte encore l'année suivante à la suite de la publication de la liste des revendications du Parti canadien. La majeure partie de ses membres forme maintenant le Parti patriote, dont le chef est Papineau. Dans les « 92 Résolutions » les députés réclament, entre autres, l'élection des conseillers législatifs, l'expulsion du Conseil exécutif des juges qui y siègent, le contrôle de la liste civile, etc. On dénonce le cumul des charges, l'intervention de l'armée lors des élections, l'accroissement des dépenses et la mauvaise gestion des terres de la Couronne. Une nouvelle épidémie de choléra, qui fait environ 600 morts, n'est rien pour calmer les esprits. Le mécontentement de la majorité francophone se mesure bien avec les résultats des élections générales de l'automne 1834 : le Parti patriote remporte 77 des 88 sièges de la Chambre d'assemblée.

À Londres, on est de plus en plus inquiet de la situation qui existe dans la colonie bas-canadienne. Archibald Acheson, comte de Gosford, est nommé gouverneur des Canadas, avec la mission de faire enquête sur la situation des colonies et de faire rapport en ce sens. Il n'y a pas qu'au Bas-Canada que le torchon brûle, une agitation croissante gagne aussi le Haut-Canada. Le nouveau représentant du roi, pour amadouer les Canadiens de Papineau, invite une majorité de francophones à la fête de la Sainte-Catherine, le 25 novembre 1835, ce qui a l'heur de déplaire aux anglophones réactionnaires.

Adam Thom, un journaliste du *Montreal Herald*, tire la sonnette d'alarme : il faut se préparer à faire face à un soulèvement des Canadiens. « Les Anglais de cette province, écrit-il sous le pseudonyme de « Camillus » [rappelant ainsi le général romain qui chassa les Gaulois qui s'étaient emparés de Rome], sont restés engourdis trop longtemps. Il y a temps pour l'action et temps pour le sommeil. Il est une chose certaine :

la première goutte de sang qui sera répandue dans la colonie pour l'agrandissement de la faction française soulèvera l'indignation de tout Anglais que l'avarice ou l'ambition n'auront point transformé en traître. *Voe victis.* Malheur aux vaincus, qu'ils soient des chasseurs de place anglais ou des Français démagogues. »

Moins de deux semaines plus tard, environ 200 anglophones, musique et bannières en tête, se rendent assister à une réunion au cours de laquelle on lance presque un appel aux armes. Peu après, un groupe armé défile dans les rues de Montréal. Le Doric Club vient de naître. Une santé est portée « à la mort, plutôt qu'une domination française ». À son tour, *La Minerve*, l'organe des patriotes de la région de Montréal, lance un appel à la vigilance. « Nous croyons que, de notre côté, lit-on dans l'édition du 10 décembre, nous ferions bien aussi de nous organiser pour ne pas être pris à l'improviste et être en état de leur faire face dans le cas où ils oseraient tenter une émeute. »

Jusque-là, les patriotes, c'est-à-dire les partisans de Papineau, croyaient à la sympathie du gouverneur Gosford à leurs revendications. Or, ils apprennent qu'il n'est pas question que le Parlement de Londres rende le Conseil législatif électif. C'est la fin de la bonne entente. La marche vers un affrontement s'accélère. Elle prend le pas de course lorsque l'on prend connaissance des résolutions adoptées dans la métropole en avril 1837. En effet, Lord John Russell, secrétaire d'État aux Colonies, a fait adopter des mesures extrêmes pour mettre fin à la querelle des subsides et régler, une fois pour toutes, pense-t-il, les problèmes bas-canadiens. Il ne saurait être question de rendre le Conseil législatif électif ni d'accorder la responsabilité ministérielle, c'est-à-dire rendre les membres de ce conseil responsables de leurs décisions devant les membres de la Chambre d'assemblée. La huitième « résolution Russell » est celle qui va mettre le feu aux poudres : elle autorise le gouverneur à puiser dans les fonds appartenant à la Chambre d'assemblée, sans son autorisation s'il le faut, les sommes nécessaires pour payer « les dépenses établies et ordinaires de l'administration de la justice et du gouvernement civil de la province ».

Dès que le contenu des résolutions est connu dans la colonie, la réaction de Papineau et de ses partisans ne tarde pas à s'exprimer : une des principales sources de revenus du gouvernement colonial provient des droits sur les importations. Le mot d'ordre lancé est donc de boycotter tous les produits importés. « Les deniers qui remplissent la caisse à Québec et qui vont être distribués d'une manière illégale par le Parlement britannique, écrit le journaliste et député Edmund Bailey O'Callaghan, sont prélevés comme droit de douanes, sur l'eau-de-vie, le rhum, les vins, le tabac, le thé et autres articles de cette espèce. Le peuple doit s'abstenir de les consommer. Au lieu de boire de l'eau-de-vie ou du rhum, qu'il boive du whisky fait dans le pays, s'il a besoin de ce stimulant, et encourage la contrebande du thé, du tabac et autres articles des États-Unis. C'est là seulement qu'est notre salut. Par ce moyen, il anéantira le revenu dont l'Angleterre dispose d'une manière illégale et inconstitutionnelle, et paralysera le bras de l'oppresseur. » Le mot d'ordre est donc « contrebande » !

Au cours des mois qui suivent, les assemblées de protestation contre les résolutions Russell se multiplient. L'orateur principal et le plus couru, c'est le grand Papineau ! Le Conseil exécutif, convoqué d'urgence, adopte une proclamation interdisant les assemblées séditieuses. La mesure ne change rien au cours des choses. La fête de la Saint-Jean-Baptiste que l'on souligne depuis 1834 prend des allures de célébration anti-britannique. À la mi-août, les députés sont convoqués pour une nouvelle session. Plusieurs se présentent vêtus d'habits en étoffe du pays, rejetant tout costume fait avec des tissus importés. Pour le gouverneur Gosford, le seul moyen de contrôler la situation est la suspension de la Constitution en vigueur et le recours à une administration quasi militaire de la colonie.

Le Doric Club est de plus en plus actif. À plusieurs reprises, ses membres paradent en armes dans les rues de Montréal. Pour répondre à cette formation, des jeunes patriotes se réunissent, en septembre 1837, pour mettre sur pied une organisation rivale, les Fils de la Liberté. Un nouveau groupe anglophone se forme, le British Rifle Corps, dont la tâche serait de venir en aide aux soldats réguliers en cas de soulèvement. Ce groupe se dit prêt à armer 1 200 hommes.

Les assemblées patriotiques se multiplient. On y adopte des résolutions de plus en plus contestataires du gouvernement en place. La réunion la plus importante a lieu à Saint-Charles, dans la vallée du Richelieu, le 23 octobre 1837. Des milliers de personnes y assistent. On a planté l'arbre de la Liberté surmonté du bonnet phrygien. Des miliciens en armes se tiennent au garde à vous. Papineau, en habit d'étoffe du pays, est le principal orateur. Selon lui, on n'a pas encore épuisé tous les moyens constitutionnels. C'est, en quelque sorte, une mise en garde contre ceux qui prônent déjà un recours aux armes. Wolfred

Nelson, chef des patriotes de Saint-Denis, est d'un autre avis : « Je diffère d'opinion avec monsieur Papineau, déclare-t-il. Je dis que le temps est venu. Je vous conseille de mettre de côté vos plats et vos cuillers d'étain afin de les fondre pour en faire des balles. » Les 5 000 personnes présentes se rendent compte que l'on vient de « dérouler l'étendard de la révolte ». Dès le lendemain, l'évêque Lartigue réagit en publiant un mandement qui est un appel à la soumission : « Ne vous laissez donc pas séduire, si quelqu'un voulait vous engager à la rébellion contre le gouvernement établi, sous prétexte que vous faites partie du Peuple souverain. » Et il brandit la menace de la privation de la sépulture ecclésiastique pour tous ceux qui mourraient les armes à la main.

Le gouverneur Gosford décide de réagir : le 16 novembre 1837, des mandats d'arrestation sont émis contre 26 patriotes. La tête de Papineau est mise à prix. Comme les patriotes de Saint-Charles ont commencé à se fortifier, l'armée reçoit l'ordre de s'y rendre avant qu'il ne soit trop tard. Le 23, elle arrive à Saint-Denis, le village situé avant Saint-Charles. Wolfred Nelson, à la tête de quelques patriotes mal armés pour la plupart, réussit à arrêter la marche des militaires. Peu avant le combat, Papineau avait quitté le village. Certains l'accuseront d'avoir fui ! Deux jours plus tard, soit le 25 novembre, ce sera une défaite à Saint-Charles. Soldats et volontaires anglophones sèmeront la ruine dans cette région. Les patriotes de Saint-Eustache, dans la région de Deux-Montagnes, seront écrasés par la soldatesque, le 14 décembre suivant. À noter qu'en 1837 les patriotes n'avaient pas pris l'initiative des combats. Ils avaient seulement tenté d'arrêter la marche de l'armée britannique.

Les choses sont complètement différentes l'année suivante. Papineau est en retrait et les patriotes qui se sont réfugiés aux États-Unis, pour échapper à leur arrestation, sont divisés. Robert Nelson prend la tête de ceux qui veulent continuer le combat. Le 28 février 1838, dans une brève excursion en territoire bas-canadien, il proclame l'indépendance de la République du Bas-Canada. Le texte précise que tous les citoyens, ce qui inclut « les Sauvages », auront les mêmes droits ; ce sera la séparation de l'Église et de l'État et l'abolition du régime seigneurial ; la peine de mort ne s'appliquera que dans le cas de meurtre ; la presse sera libre ; les élections se feront au vote secret et « on se servira des langues française et anglaise dans toutes les matières publiques ». Il faut souligner que les rangs des patriotes comprenaient plusieurs anglophones et quelques Européens mercenaires de la Liberté. De plus, le Haut-Canada avait connu, lui aussi, son soulèvement.

La Révolution de l'automne 1838 sera un échec total. Des centaines de patriotes se retrouveront en prison. À la suite de procès sommaires, 12 patriotes du Bas-Canada seront pendus et plus de 50 seront exilés en Nouvelle-Galles du Sud. Dans le Haut-Canada, il y aura 17 exécutions et 130 déportations.

Entre les deux rébellions, Londres avait envoyé en Amérique septentrionale un nouvel enquêteur, Lord Durham. Peu après son retour précipité en Angleterre, il publiera son célèbre rapport. Ses deux principales recommandations seront d'unir les deux Canadas et d'envoyer dans la colonie le plus d'immigrants possible. Cela devra permettre une assimilation progressive des francophones ainsi mis en minorité. Son jugement sur les Canadiens français — « ils forment un peuple rétrograde, sans histoire et sans littérature » — est demeuré célèbre, mais souvent mal interprété. Le lord anglais soulignait alors, non pas que les francophones n'avaient pas d'histoire ou n'avaient pas de passé, mais point d'histoire écrite. Il faudra attendre la publication de l'*Histoire du Canada* de François-Xavier Garneau quelques années plus tard. De plus, les Canadiens n'avaient pas encore de littérature. En 1837, un premier roman avait été publié, mais ce n'était pas suffisant pour parler d'une littérature canadienne-française !

À Londres, décision est prise de tenir compte des principales recommandations de Durham. Le 23 juillet 1840, la reine Victoria accorde la sanction royale à l'Acte d'Union. Le Haut et le Bas-Canada forme-ront la Province du Canada, connue aussi sous l'appellation de « Canada-Uni ». Et l'Assemblée législative se composera de 84 membres, soit 42 pour chacune des colonies. Cela constitue une injustice pour le Bas-Canada (à majorité de langue française) dont la population dépasse de 200 000 habitants celle du Haut-Canada presque entièrement de langue anglaise. Ainsi, une majorité de députés de langue anglaise était prévisible dans le futur Parlement. Enfin, les dettes des deux colonies seront fusionnées. Autre injustice : la dette du Haut-Canada résultant de la construction de nombreuses routes et d'édifices est de l'ordre de 1 200 000 louis ; celle du Bas-Canada n'est que de 95 000 louis, vu que l'administration civile est quasi paralysée depuis plusieurs années, à cause de la querelle des subsides. En quelque sorte, les Bas-Canadiens paieront pour le développement de la colonie voisine ! Dernière injustice : l'article 41 fait de l'anglais la seule langue officielle de l'administration gouvernementale. L'historien Denis Vaugeois a eu raison de parler d'« une nouvelle conquête ».

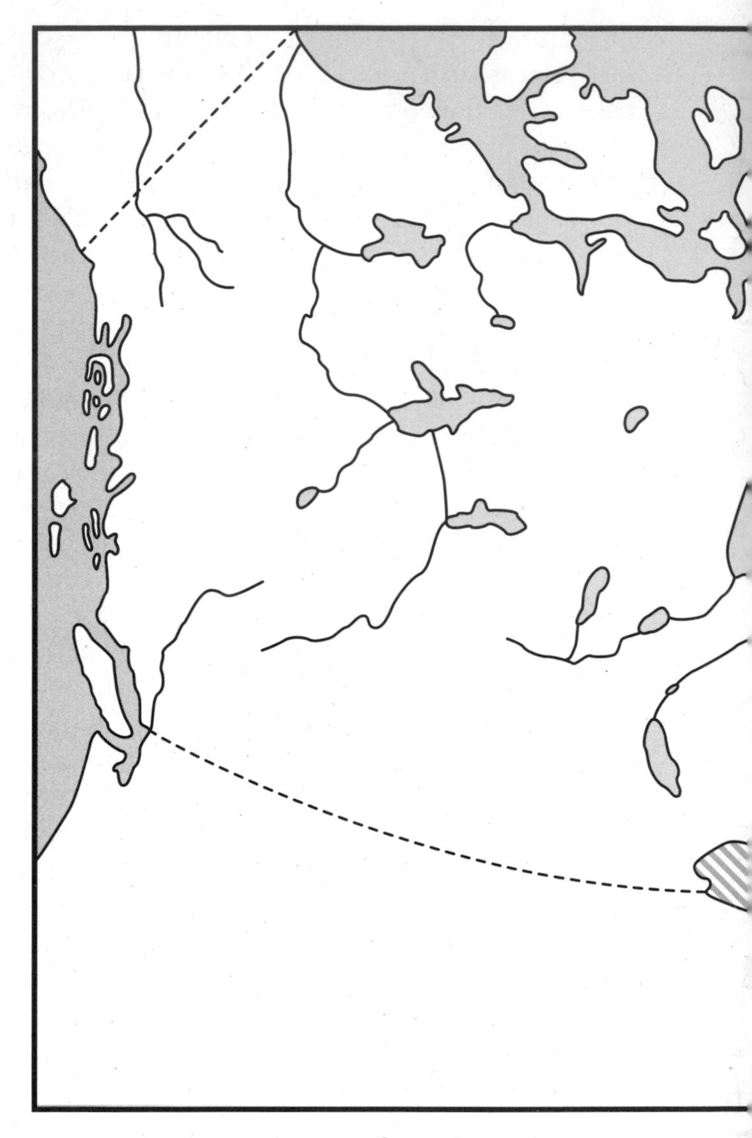

Quatre provinces s'unissent pour former le Canada en 1867.

Ontario
(Haut-Canada)
Québec
(Bas-Canada)
Nouveau-
Brunswick
Nouvelle-Écosse

Vers une nouvelle constitution

Les Canadiens, qui s'appellent de plus en plus Canadiens français, vu que plusieurs anglophones ont commencé à se désigner comme Canadiens (ou *Canadians*), cherchent les moyens d'annuler les effets néfastes de la nouvelle constitution. Un nouveau leader est apparu en la personne de Louis-Hippolyte La Fontaine. Dans un manifeste qu'il publie au mois d'août 1840, à l'occasion des premières élections générales, il précise sa vision de l'Union : « L'Union est enfin décrétée ! Le Canada, dans la pensée du Parlement anglais, ne doit, à l'avenir, former qu'une seule province. Cette grande mesure politique est-elle dans l'intérêt bien entendu des populations qu'elle a pour objet de soumettre à l'action d'une seule et même législature ? Il faut laisser au temps la solution de ce problème. »

L'union signifie aussi l'existence d'une seule capitale pour les deux colonies. Le siège du gouvernement est fixé à Kingston. On ne voulait pas qu'il soit situé au Bas-Canada, mais il fallait trouver un endroit qui n'en était pas trop éloigné. Lors des premières sessions, certains députés réclament la responsabilité ministérielle. La Fontaine en fait un cheval de bataille tout comme Robert Baldwin, l'homme fort de la politique haut-canadienne. Les deux hommes vont donc former un tandem et, en 1842, le gouverneur Charles Bagot les invite à devenir membres du ministère. Le 13 septembre, La Fontaine prend la parole en langue française. Un député de Toronto lui demande de parler en anglais. L'orateur répond à cette remarque intempestive : « Il me demande de prononcer dans une autre langue que ma langue maternelle le premier discours que j'ai à prononcer dans cette Chambre ! Je me défie de mes forces à parler la langue anglaise. Mais je dois informer l'honorable membre et les autres honorables membres et le public du sentiment de justice duquel je ne crains pas d'en appeler, que, quand même la connaissance de la langue anglaise me serait aussi familière que celle de la langue française, je n'en ferais pas moins mon premier discours dans la langue de mes compatriotes canadiens-français, ne fût-ce que pour protester solennellement contre cette cruelle injustice de l'Acte d'Union qui tend à proscrire la langue maternelle d'une moitié de la population du Canada. Je le dois à mes compatriotes ; je me le dois à moi-même. »

Une majorité de députés se prononce contre le fait que Kingston soit le siège du gouvernement. Il est alors question de le déménager à Montréal, ce qui déplaît à certains membres représentant des circonscriptions du Haut-Canada. On peut lire dans un journal de cette colonie : « Souffrir que le siège du gouvernement soit transféré hors des limites du Haut-Canada serait pour nous un plus grand mal qu'une annexion aux États-Unis. » On craint une plus grande emprise du *French power*. Lors des élections générales de 1844, la violence éclate en plusieurs endroits et, à Montréal, l'armée doit intervenir pour maintenir l'ordre.

Au cours de la session suivante, une loi indemnisant les habitants du Haut-Canada qui avaient subi des pertes lors des événements de 1837 est adoptée par une majorité de députés. La Fontaine avait demandé qu'une mesure identique soit votée pour le Bas-Canada. À ce moment-là, la plupart des patriotes bas-canadiens exilés en Nouvelle-Galles du Sud étaient revenus ou s'apprêtaient à le faire.

Au Bas-Canada, des milliers d'immigrants d'origine irlandaise ne cachent pas leur sympathie à la cause canadienne-française. Chaque année, le port de Québec accueille des dizaines de milliers de nouveaux venus. Bon nombre prennent le chemin des États-Unis ou du Haut-Canada, mais il en reste un certain nombre dans la vallée du Saint-Laurent. À Montréal, protestants et catholiques irlandais ont leurs propres paroisses. En 1847, est créée pour les catholiques de langue anglaise la paroisse Saint Patrick. La même année arrive la maladie, avec les premiers navires en provenance de la Grande-Bretagne ayant à leur bord des Irlandais qui fuient la famine qui ravage leur pays. Cette épidémie de typhus causera la mort de près de 14 000 personnes.

Les partis politiques commencent à se structurer. La question de la double majorité est à l'ordre du jour : il s'agit de savoir si, pour demeurer au pouvoir, un ministère doit posséder la majorité dans chacune des deux parties du Canada-Uni. À cela va s'ajouter la demande d'octroyer la responsabilité ministérielle. Au même moment, certains commencent à souhaiter l'annexion du Canada-Uni aux États-Unis. Ils se sentent abandonnés par la Grande-Bretagne qui vient d'établir le libre-échange. On réclame l'abolition des lois qui obligent les colonies à faire du commerce, des importations ou des exportations seulement à bord de navires anglais. Le libre-échange ne peut vraiment exister avec une telle législation. La grogne augmente, tout comme la tension entre les deux groupes ethniques.

Des élections générales ont lieu au début de l'année 1848. Louis-Joseph Papineau, de retour d'exil depuis plus de deux années, est élu député. Un journal de Montréal, *The Morning Courier*, écrit dans son édition du 26 janvier: « Ce ne sera plus un combat entre tory et radical, mais une guerre de races et la question à décider est de savoir si les Canadiens français mettront le pied sur la gorge des Anglais ; où s'ils seront pourquoi ils sont faits, c'est-à-dire scieurs de bois et charroyeurs d'eau. » L'année suivante, ce sera l'affrontement. La responsabilité ministérielle se réalise. L'article 41 de l'Acte d'Union devient désuet. D'ailleurs, le gouverneur Elgin, gendre de Durham, prononce son discours du trône dans les deux langues.

Sur un fond de crise économique, la situation politique se détériore, malgré la bonne volonté du gouverneur. Le projet de loi visant à indemniser les habitants du Bas-Canada qui ont subi des pertes lors des soulèvements de 1837-1838 fait monter la pression, surtout parce que l'on demande que soient indemnisés ceux qui ont perdu des biens à cause de la soldatesque ou des volontaires anglophones, à la condition qu'ils n'aient pas été déjà condamnés par les tribunaux. La chose apparaît à certains comme une prime à la révolte. Le « bill d'indemnité » est adopté par la Chambre d'assemblée où le ministère La Fontaine-Baldwin jouit d'une bonne majorité. Il obtient cinq voix de majorité au Conseil législatif. La question est de savoir maintenant si le gouverneur Elgin va accorder la sanction royale au projet de loi. En attendant, dans le Haut-Canada, on dénonce violemment l'idée d'indemniser les Patriotes. Dans un journal, on parle d'un défi à relever : « Il faut qu'une des deux races, la saxonne ou la française, disparaisse du Canada. »

Malgré l'agitation appréhendée, le mercredi 25 avril 1849, Elgin accorde la sanction royale. Dans une édition spéciale, *The Montreal Gazette* lance un appel à la révolte : « LA FIN A COMMENCÉ. Anglo-Saxons, vous devez vivre pour l'avenir ; votre sang et votre race seront désormais votre loi suprême, si vous êtes vrais à vous-mêmes. Vous serez Anglais, *dussiez-vous n'être plus Britanniques.* [...] La foule doit s'assembler sur la Place d'Armes, ce soir à huit heures. Au combat, c'est le moment. » Peu après la réunion, des manifestants mettent le feu à l'édifice du Parlement qui est complètement détruit. Au cours des jours qui suivent, les actes de violence vont se multiplier.

Une des principales conséquences de ces événements sera la recrudescence de l'idée d'annexion aux États-Unis. Au début du mois d'octobre, plus de 300 personnes, parmi lesquelles figurent John Molson, John Redpath et Antoine-Aimé Dorion, signent un manifeste annexionniste. Si cette union se réalise, tous les problèmes, croit-on, trouveront une rapide solution : capitaux et compétence, marché étendu et produits moins chers, nouveaux chemins de fer et augmentation du prix de vente du bois canadien, gouvernement économique et simple. Le paradis, quoi! Le projet fait long feu et une nouvelle question attire l'attention : quelle ville sera la nouvelle capitale ? Car il ne saurait être question que le gouvernement continue à demeurer à Montréal. Toronto sera le choix du gouverneur Elgin.

Alors que tous ces événements se déroulent au cours de la décennie 1840, le Bas-Canada change considérablement. Chez les Canadiens français, la religion catholique est de plus en plus présente et de plus en plus puissante. La tournée de prédication de l'évêque français Charles-Auguste de Forbin-Janson marque le début des retraites paroissiales. Peu après, on assiste au retour des jésuites, puis à l'arrivée des Clercs de Saint-Viateur, des oblats et de la Congrégation de Sainte-Croix. Quelques communautés religieuses féminines s'installent également, soit les Dames du Sacré-Cœur et les sœurs du Bon-Pasteur d'Angers. De plus, de nouvelles communautés sont créées en terre canadienne : les sœurs de la Providence, la Congrégation des sœurs des Saints-Noms de Jésus et de Marie, l'Institut des sœurs de la Miséricorde et les sœurs de Sainte-Anne. La présence religieuse devient très importante dans le monde de l'éducation et des services sociaux. On met sur pied des bibliothèques paroissiales pour contrer la menace que présentent « les mauvais livres ». Et on y exerce une censure sévère. Le libéralisme, sous toutes ses formes, devient un ennemi à combattre. Le Parti libéral naissant sera dénoncé comme étant du rougisme. Plusieurs membres du clergé l'assimileront au libéralisme tel qu'il existe en France. La liberté de penser et la liberté de parole constituent une menace pour l'Église.

La fondation de l'Institut canadien, en décembre 1844, marque un tournant dans la vie intellectuelle de plusieurs Canadiens français. Jean-Baptiste-Éric Dorion, qui assiste à la naissance de l'organisme, en précise ainsi les objectifs : « Un centre d'émulation où chaque jeune homme entrant dans le monde pourrait venir s'inspirer d'un pur patriotisme, s'instruire en profitant des avantages d'une bibliothèque commune et s'habituer à parler en prenant part aux travaux de cette tribune ouverte à toutes les classes et à toutes les conditions. » En 1855, l'Institut canadien de Montréal compte 700 membres qui ont accès à une salle de lecture possédant une centaine de journaux et à une bibliothèque comprenant environ 4 000 volumes, dont quelques-uns sont « à l'index », c'est-à-dire que leur lecture est défendue par l'Église catholique sous peine de péché mortel. À cette époque, on compte plus de 60 salles de ce type. L'association de Montréal sera la bête noire de l'évêque Bourget. Le fait que bon nombre de libéraux seront membres de l'Institut fera que cette formation politique encourra les foudres ecclésiastiques jusqu'au moment où Wilfrid Laurier, en 1877, fera une distinction entre le libéralisme tel qu'il existe en Grande-Bretagne et le libéralisme doctrinal français.

Au cours de la seconde moitié des années 1850, la population du Haut-Canada dépasse celle du Bas-Canada. L'égalité de représentation, qui paraissait juste au moment de l'Acte d'Union, quand le Haut-Canada était moins peuplé, devient une grave injustice. George Brown réclame à tout propos une « Rep by pop », c'est-à-dire une représentation proportionnelle au nombre d'habitants. Cette revendication fera partie des thèmes des élections générales de

1857, alors que libéraux et conservateurs s'affrontent. Au Bas-Canada, George-Étienne Cartier a remplacé La Fontaine comme leader des Canadiens français. Il fait front commun avec John A. Macdonald, le chef haut-canadien du Parti conservateur. Surtout à cause de la nécessité pour une formation politique d'avoir au Parlement la majorité dans chacun des deux Canadas, le règne des gouvernements est de plus en plus court. Entre 1857 et 1864, six ministères se succéderont, le plus court étant celui de George Brown-Antoine-Aimé Dorion, qui n'a duré que quatre jours!

L'instabilité ministérielle va forcer les hommes politiques à chercher une solution durable. L'idée d'une union de toutes les colonies anglaises d'Amérique du Nord plaît à de plus en plus de gens. En juillet 1858, Alexander Tilloch Galt, député de la ville de Sherbrooke, présente une série de résolutions devant mener à l'établissement d'une union fédérale, l'union législative existante ayant conduit à un cul-de-sac. Pour lui, « une confédération générale des provinces du Nouveau-Brunswick, Nouvelle-Écosse, Terre-Neuve et Île-du-Prince-Édouard avec le Canada et les territoires de l'Ouest est très désirable et de nature à avancer leurs intérêts divers et unis, en conservant à chaque province l'administration sans contrôle de ses institutions particulières et de ses affaires d'intérieur ». Même si le projet ne fait pas l'unanimité, il permet aux opposants de préciser leurs prises de position. Pour Joseph-Charles Taché, le pouvoir central serait une émanation des pouvoirs des provinces. « Le pacte fédéral, écrit-il, reposerait sur le principe de la délégation perpétuelle et inaltérable des pouvoirs des gouvernements séparés des provinces au gouvernement général, dans la mesure d'attributions distinctes, établies en vertu d'une constitution écrite. »

Plusieurs raisons vont militer en faveur d'une fédération des colonies anglaises nord-américaines. Les chemins de fer ne peuvent continuer à se développer qu'en reliant le centre des colonies à celles qui débouchent sur l'océan Atlantique. Enfin, certains politiciens canadiens rêvent d'une scène plus large où ils pourraient se faire valoir. En Grande-Bretagne, les partisans d'une « Little England » prônent l'abandon progressif des différentes colonies. Depuis la guerre de Crimée, le nombre de soldats britanniques en terre canadienne a commencé à diminuer. À partir de 1861, la guerre de Sécession, qui divise les États-Unis en deux, pose le problème de la défense des Canadas. En 1862, un projet de réforme de la milice coloniale illustre encore une fois l'opposition entre les anglophones et les francophones. Les députés du Haut-Canada votent en bloc en faveur de la mesure proposée, alors que ceux du Bas-Canada, d'allégeance aussi bien libérale que conservatrice, votent contre. Cartier vient de perdre sa majorité en chambre, alors que Macdonald a conservé la sienne. Le ministère Cartier-Macdonald doit donc démissionner. Nombreux seront les anglophones qui reprocheront aux Canadiens français leur tiédeur, pour ne pas dire leur déloyauté face à la défense de leur territoire. Pour *The Morning Chronicle* de Québec, les conséquences sont graves : « C'est une déclaration de la part des 37 comtés bas-canadiens, lit-on dans l'édition du 22 mai, que la colonie ne veut pas remplir son devoir envers la Couronne dans la question vitale de la défense du territoire et cette déclaration sera ainsi comprise dans le monde entier. Nulle protestation de loyauté ne pourra effacer cette impression. Une majorité bas-canadienne a refusé de payer quelques piastres et de remplir un léger service comme prix de sa connexion avec la Grande-Bretagne et c'est ainsi que se présente son acte devant le monde. » Le *Times* de Londres va plus loin. Pour lui, c'est le lien colonial qui doit être remis en cause.

En 1863, une nouvelle version de la loi sur la milice est présentée. Comme la guerre civile fait toujours rage aux États-Unis et que certains craignent une invasion des Canadas, le projet de loi reçoit finalement la sanction royale le 15 octobre. Il est spécifié que tout homme âgé de 18 ans et plus et de moins de 60 ans fait partie de la milice. Certaines catégories de citoyens sont quand même exemptées du service militaire : les juges, les membres du clergé, les professeurs des collèges et des universités, ainsi que les instituteurs religieux. Il va sans dire que les députés échappent à la nouvelle loi ! Tout comme les médecins, les chirurgiens, les maîtres de poste, les marins en service actif, les employés des chemins de fer, les instituteurs, etc. Chose intéressante à noter : les objecteurs de conscience ne peuvent être obligés à prendre les armes !

L'instabilité ministérielle continue à ralentir les travaux parlementaires. Pour en finir, George Brown propose la formation d'un gouvernement de coalition. Sa résolution est adoptée le 19 mai 1864. Elle marque un point important dans la marche vers l'établissement d'une nouvelle constitution. À cette époque, Québec est le siège du gouvernement du Canada-Uni. On y apprend que les colonies atlantiques doivent se réunir au tout début du mois de septembre pour discuter de la possibilité de s'unir. Les autorités canadiennes décident alors de s'y rendre après avoir obtenu une invitation en tant que simples observateurs. Elles réussissent à convaincre les représentants de Terre-Neuve, de l'Île-du-Prince-Édouard, de la Nouvelle-Écosse et du Nouveau-Brunswick qu'une union vraiment efficace ne peut se faire sans la participation du Canada-Uni. Il est convenu de se retrouver à Québec au mois d'octobre suivant.

Le 10 octobre 1864 s'ouvre la Conférence de Québec dont les décisions serviront de base à l'élaboration d'un projet de loi visant à unir les colonies intéressées. Les 33 représentants des colonies anglaises d'Amérique du Nord seront appelés « les Pères de la Confédération », même si certains ne réussiront pas à convaincre leurs gouvernements locaux d'adhérer au projet. Un point important des discussions est de savoir si l'union sera législative ou fédérative. Un autre sera la représentativité de chaque colonie au sein d'un gouvernement central. Les colonies atlantiques tiennent mordicus à la construction d'un chemin de fer intercolonial dont le terminus serait le port de Saint John, au Nouveau-Brunswick, ou Halifax, en Nouvelle-Écosse. Il est convenu que les 72 résolutions adoptées lors de la conférence devront être approuvées par la Législature de chacune des colonies.

Avant même l'étude du projet en Chambre, Antoine-Aimé Dorion, le chef du Parti libéral du Bas-Canada, réclame la tenue d'un référendum sur le sujet. Pour lui, l'union telle qu'elle est projetée, « ne peut que retarder le progrès et la prospérité du pays». «Je la repousse, conclut-il, parce que je la crois contraire aux intérêts de toute la province et surtout désastreuse pour le Bas-Canada.» Lors des débats parlementaires qui débutent en mars 1865, Macdonald affirme que, pour lui, une union législative est la meilleure formule. Mais l'attitude de la population francophone du Canada-Est, nouvelle manière de désigner le Bas-Canada, constitue une objection importante. Cartier estime pour sa part que «nul autre projet n'est possible que le système fédéral. Quelques-uns ont prétendu qu'il était impossible à faire fonctionner la confédération, par suite des différences de race et de religion. Ceux qui partagent cette opinion sont dans l'erreur; c'est tout le contraire. C'est précisément en conséquence de cette variété de races, d'intérêts locaux que le système fédéral doit être établi et qu'il fonctionnera bien».

Le 10 mars 1865, les résolutions de la Conférence de Québec sont adoptées par la députation canadienne par un vote de 91 voix favorables sur les 124 possibles. Selon l'analyse de l'historien Jean-Paul Bernard, «sur les 62 députés du Bas-Canada, 37 avaient voté en faveur de la Confédération, tandis que 25 s'étaient déclarés contre. Cependant, une analyse plus précise du vote montre que le projet n'avait été appuyé que par 27 députés canadiens-français sur 49». Poussant plus loin son analyse, il arrive à la conclusion que 25 députés francophones ont dit oui et 24 auraient dit non. Une bien mince majorité!

Pour que le projet devienne réalité, il faut que le Parlement de Londres adopte une loi spécifique à ce sujet. Alors que l'union éventuelle des colonies est à l'ordre du jour, une nouvelle crainte fait son apparition: des Irlandais vivant aux États-Unis, regroupés au sein du mouvement fénien, fomentent le projet de s'emparer des Canadas et ensuite de négocier leur remise à la Grande-Bretagne en échange de l'indépendance de l'Irlande. Pour contrer cette menace, à Québec et Montréal, des milliers de miliciens se retrouvent sous les armes. Le gouvernement canadien reçoit l'appui de 1 500 guerriers iroquois prêts à faire le coup de feu pour défendre le territoire.

Plus grande sans doute que l'inquiétude d'une invasion fénienne est celle du sort réservé à la minorité anglophone du Bas-Canada. Celle-ci a peur d'être sacrifiée à la majorité francophone. Pour dissiper cette crainte, certains hommes politiques font valoir que, même si une assemblée législative se composera d'une majorité de députés de langue française, les membres du Conseil législatif, qui seront nommés par la Couronne, se feront les défenseurs de la minorité. Bien plus, certaines circonscriptions électorales formées d'une majorité de voteurs anglophones ne pourront être abolies ou voir leurs frontières modifiées sans l'approbation de leurs représentants. Enfin, un article spécifique assurera l'existence des écoles protestantes, donc assurément de langue anglaise. Par souci d'équité, les écoles catholiques du Haut-Canada auront les mêmes droits. George-Étienne Cartier se fait le chevalier de la bonne entente. À la fin du mois d'octobre 1866, à Montréal, à l'occasion d'un banquet, il y va de la déclaration suivante : « Les Canadiens français ne doivent pas avoir peur des Anglais. Après tout, ils ne sont pas si effrayants. Admirons plutôt leur énergie et leur persévérance, imitons-les. Pour être d'excellents Canadiens français, il faut posséder, avec les qualités de notre race, les meilleures de celles des Canadiens anglais. »

À Londres, le projet de loi est d'abord étudié par la Chambre des lords, qui l'approuve le 26 février 1867. À la Chambre des communes, le projet soulève bien peu d'intérêts. Les honorables députés britanniques sont plus intéressés par le projet qui veut imposer une taxe sur les chiens de chasse! Macdonald, qui assiste aux débats, ou à l'absence de débats, écrit: « L'Union a été traitée comme s'il s'agissait d'une association de deux ou trois paroisses. » Le 29 mars, la reine Victoria accorde la sanction royale au *British North America Act.* Son entrée en vigueur est fixée au 1er juillet suivant.

Quatre colonies, le Bas-Canada et le Haut-Canada, le Nouveau-Brunswick et la Nouvelle-Écosse, s'unissent donc pour former un nouveau pays: le Canada, nom approuvé par la souveraine. La nouvelle constitution établit deux niveaux de gouvernement: un fédéral et un provincial. Le premier a autorité sur tout ce qui touche plus d'une province. Il a le pouvoir de faire des lois « pour la paix, l'ordre et le gouvernement du Canada, relativement à toutes les matières ne tombant pas dans les catégories de sujets par le présent acte exclusivement assignées aux législatures des provinces », ce qui est l'inverse de ce que l'on trouve dans la constitution américaine, où tout ce qui n'appartient pas au gouvernement central appartient aux États.

Au Canada, relèvent du gouvernement fédéral la réglementation du trafic et du commerce, le service postal, le service militaire et le service naval, la navigation, tout ce qui touche le système monétaire, les banques, les poids et mesures, l'intérêt de l'argent, les brevets d'invention et les droits d'auteur, la naturalisation des étrangers, les pénitenciers et le droit criminel, « les Sauvages et les terres réservées pour les Sauvages », ainsi que le mariage et le divorce. Quant aux pouvoirs assignés aux provinces, ils sont limitatifs. Ainsi, elles ont autorité sur la célébration des mariages, les droits civils, les prisons, les hôpitaux, l'administration et la vente des terres publiques appartenant à la province, les institutions municipales, « généralement toutes les matières d'une nature purement locale ou privée dans la province ». En somme, bien peu de choses ! Par contre, l'article 93 spécifie que l'éducation est du ressort exclusif des provinces. Au chapitre de la langue, le bilinguisme officiel est limité aux «registres» et aux procès-verbaux des chambres susdites, c'est-à-dire le Parlement du Canada et la Législature de Québec. L'usage de la langue française ou de la langue anglaise est facultatif dans ces deux Parlements, tout comme devant les tribunaux établis par le fédéral ou la province de Québec. Enfin, les actes du Parlement du Canada et de la Législature de Québec devront être imprimés et publiés dans ces deux langues.

L'immigration et l'agriculture sont deux secteurs où il y aura partage des pouvoirs. Comme les provinces maritimes n'étaient intéressées à faire partie du Canada qu'à la condition que l'on construise un chemin de fer intercolonial, un article est consacré exclusivement à ce sujet.

À Ottawa, à l'occasion des célébrations marquant la fête de la Saint-Jean-Baptiste de 1867, Cartier triomphe : « La Confédération, c'est un arbre dont les branches s'étendent dans plusieurs directions et qui sont fermement attachées au tronc principal. Nous, Franco-Canadiens, nous sommes l'une de ces branches. À nous de le comprendre et de travailler au bien commun. Le patriotisme bien entendu est celui qui ne lutte pas avec un esprit de fanatisme, mais qui, tout en sauvegardant ce qu'il aime, veut que son voisin ne soit pas plus molesté que lui-même. Cette tolérance, messieurs, est indispensable, c'est par elle que nous nous associerons à la grande œuvre, dans laquelle il convient à notre ambition de réclamer une part d'honneur. » Pour le Canada et le Québec, une nouvelle ère commence !

Le Grand Sceau du Canada, 1869. Au centre, la reine Victoria, au bas *In Canada sigillum*, c'est-à-dire le sceau du Canada. Pendant les deux premières années de la confédération, on utilisera un sceau temporaire représentant les armes royales de l'Angleterre.

Une province pas comme les autres

Même si la Confédération est devenue réalité, le Parti libéral de la province de Québec continue à la dénoncer. Son chef, Antoine-Aimé Dorion, résume ainsi la catastrophe appréhendée : « 1. La Confédération est une œuvre infâme parce que la langue française sera proscrite et notre religion menacée. 2. Elle va nécessiter un surcroît de dépenses et la taxe directe. 3. Elle va amener la conscription et les enrôlements. 4. Elle va occasionner des dépenses énormes dans les fortifications et le chemin de fer intercolonial. 5. Elle va ruiner l'industrie et les ouvriers. 6. Elle va nous mettre les Américains à dos. »

L'épiscopat catholique est d'avis contraire. Maintenant que la Confédération a été établie de façon officielle, les catholiques ne doivent plus s'y opposer. Certains évêques publient des mandements rappelant aux membres de leurs églises leurs devoirs de soumission. Thomas Cook, évêque du diocèse de Trois-Rivières, est clair à ce sujet : « Nous ne connaissons rien qui puisse autoriser à croire que la Confédération est un acte de trahison. Elle a été discutée assez longtemps, examinée assez scrupuleusement par les hommes les plus dévoués et les plus éclairés de toutes les provinces pour lever tout doute à cet égard. [...] Aujourd'hui que ce projet a reçu la sanction du gouvernement impérial et qu'il est devenu la loi fondamentale du pays, nous devons vous rappeler que notre devoir comme catholique est de mettre un terme à toute discussion à ce sujet. [...] Vous devez en conscience, nos très chers frères, et comme catholiques et comme amis sincères de l'ordre, de l'union et de la paix, vous devez favoriser dans la mesure de vos forces et par le concours de votre bonne volonté le bon fonctionnement de la constitution qui va bientôt être inaugurée. »

Certains curés, du haut de la chaire, avertissent leurs paroissiens qu'ils commettraient un péché grave en votant pour le Parti libéral. Comme le vote est toujours ouvert, il est facile pour eux de savoir lesquels peuvent aller en enfer, s'ils meurent sans avoir confessé leurs fautes ! Malgré ces mises en garde, dans 13 circonscriptions électorales, les candidats libéraux remportent la victoire, ce qui signifie que, sur les 65 députés auxquels a droit la province de Québec à la Chambre des communes, 52 sont d'allégeance conservatrice. Au niveau provincial, les résultats sont à peu près identiques. En raison de la possibilité d'un double mandat, certains candidats sont élus aussi bien à la Chambre des communes qu'à l'Assemblée législative, ce qui compliquera la présence aux travaux sessionnels.

La première session du premier Parlement de la Province de Québec s'ouvre le 28 décembre 1867. Le lieutenant-gouverneur prononce le discours du trône d'abord en français, puis en anglais. Une grande nouveauté, puisque, sous la précédente constitution, l'anglais avait préséance ! Même si 75 pour cent de la population est de langue française, la question linguistique en inquiète certains. À Ottawa, le 25 juin 1866, dans son sermon à l'occasion de la Saint-Jean-Baptiste, Louis-François Laflèche, l'évêque coadjuteur de Trois-Rivières, affirme que le bilinguisme constitue une menace pour les francophones. « La plus lourde taxe que la conquête nous ait imposée, déclare-t-il, c'est la nécessité d'apprendre l'anglais. Payons-la loyalement, mais n'en payons que le nécessaire. Que notre langue soit toujours la première. Tenons à parler la première langue de l'Europe ; et fortifions, chez nous, ce puissant lien national. »

La question de la langue et de la religion soulève aussi de l'inquiétude au sujet des milliers de Canadiens français qui ont émigré et qui émigrent encore en Nouvelle-Angleterre. La fin de la guerre de Sécession avait signifié une recrudescence du mouvement migratoire. Si, en 1860, on dénombrait 37 400 Franco-Américains, il y en aura 208 000 vingt ans plus tard. Ils forment des « Petits Canada », c'est-à-dire qu'ils se regroupent au sein de paroisses dites nationales, où les offices religieux sont en langue française. Mais des hauts dirigeants de l'Église catholique américaine commencent à se demander s'il ne faudrait pas travailler à faire de ces Canadiens de bons Américains catholiques de langue anglaise !

Au Québec, l'attitude de plusieurs dirigeants religieux est à l'inverse. Partant du principe que l'Église est supérieure à l'État qui doit lui être soumis, des évêques, des prêtres et des laïcs veulent influencer les élections pour éviter que des libéraux soient élus. Le « Programme catholique » rendu public en 1871 donne les directives à suivre : « Il est impossible de le nier, la politique se relie étroitement à la religion, et la séparation de l'Église et de l'État est une doctrine absurde et impie. [...] L'adhésion pleine et entière aux doctrines catholiques romaines en religion, en politique et en économie sociale doit être la première et la principale qualification que les électeurs catholiques doivent exiger du candidat catholique. » Certains curés exerceront « une pression indue » sur leurs paroissiens pour les amener à voter conservateur. Et, en quelques occasions, les tribunaux annuleront des élections pour « influence indue ».

Les conservateurs, aussi bien provinciaux que fédéraux, ne sont cependant pas au-dessus de tout soupçon. Au Québec, les élections générales fédérales de 1872 sont entachées de corruption. Le gouvernement de John A. Macdonald travaille au projet de construction d'un chemin de fer devant relier Montréal à la Colombie-Britannique, devenue province canadienne l'année précédente. Deux groupes de financiers sont intéressés par le projet. Pour influencer la décision ministérielle et obtenir le contrat, un groupe verse 300 000 $ aux conservateurs pour favoriser leur réélection. Les ministres Cartier, Macdonald et Hector Langevin reçoivent d'importants pots-de-vin. Le « Scandale du Pacifique » coûtera le pouvoir aux conservateurs et le Canada connaîtra un court règne libéral.

En 1874, le Parlement fédéral adopte une loi établissant le vote secret. Le gouvernement de la province de Québec votera une mesure identique l'année suivante, malgré l'opposition de quelques représentants. Pour le député Joseph-Adolphe Chapleau, le futur premier ministre, des raisons morales s'opposent à l'adoption du projet : « Le scrutin secret n'empêche pas la corruption, au contraire, on n'a plus honte de se laisser corrompre, dès que cela se fait en secret. [...] On dit que le scrutin secret empêchera le respect humain de faire voter contre ses convictions, mais les convictions qui viennent en collision avec le respect humain, c'est-à-dire avec l'opinion publique, ne peuvent être honnêtes en politique. »

Au Québec, les premières élections générales au scrutin secret se déroulent le 7 juillet 1875. Wilfrid Laurier, de plus en plus puissant au sein du Parti libéral, travaille à clarifier la nature de sa formation politique. Au cours de la campagne, il déclare : « Nous sommes libéraux comme on est libéral en Angleterre ; nous sommes libéraux comme O'Connell ! C'est là un de nos chefs, lui qui a si vaillamment défendu la religion dans le Parlement anglais ; c'est là que nous puisons nos doctrines et non pas chez ces prétendus libéraux qui cherchent à faire triompher les idées par la violence et l'effusion de sang ! » Deux années plus tard, le futur premier ministre du Canada revient sur le sujet en enfonçant, il l'espère, le dernier clou du cercueil du libéralisme « rouge » : « Je sais et je dis que le libéralisme catholique n'est pas le libéralisme politique. S'il était vrai que les censures ecclésiastiques portées contre le libéralisme catholique dussent s'appliquer au libéralisme politique, ce fait constituerait pour nous, Français d'origine, catholiques de religion, un état de chose dont les conséquences seraient aussi étranges que douloureuses. En effet, nous Canadiens français, nous sommes une race conquise. C'est une vérité triste à dire, mais enfin c'est la vérité. Mais si nous sommes une race conquise, nous avons aussi fait une conquête : la conquête de la liberté. Nous sommes un peuple libre ; nous sommes une minorité, mais tous nos droits, tous nos privilèges nous sont conservés. Or, quelle est la cause qui nous vaut cette liberté ? C'est la constitution qui nous a été conquise par nos pères, et dont nous jouissons aujourd'hui. [...] Que le prêtre parle et prêche comme il l'entend, c'est son droit. Jamais ce droit ne sera contesté par un libéral canadien. [...] La politique du parti libéral est de protéger les institutions, de les défendre et de les propager et, sous l'empire de ces institutions, de développer les ressources latentes de notre pays. Telle est la politique du parti libéral ; il n'en a pas d'autre. » Il faudra quand même attendre quelque temps pour que les opposants au Parti libéral cessent d'y voir la marque du diable !

Il n'y a pas qu'en politique que surgissent affrontements, tensions et problèmes. Le Québec, comme le Canada, traverse une grave crise économique en 1873 dont les conséquences se font sentir au cours des années qui suivent. Même si la population demeure très majoritairement rurale, le mouvement migratoire vers les villes s'accentue. Montréal, avec ses usines et ses manufactures, exerce un attrait particulier. Sa population, qui était de 90 000 âmes en 1861, compte 140 000 habitants vingt ans plus tard, soit 78 000 Canadiens français, 29 000 Irlandais et 33 000 Anglo-Canadiens. La rapide urbanisation amène une certaine paupérisation d'une partie de la population. Des ouvriers se regroupent en associations mutuelles, ancêtres des syndicats, et précisent leurs revendications. Charpentiers de navires et débardeurs seront parmi les premiers à s'unir. Il y aura aussi les travailleurs de la construction. On assistera à des grèves qui déclencheront des mouvements de violence. En quelques occasions, il y aura mort d'hommes.

Au cours des dernières décennies du XIXe siècle, le Québec n'est pas une province refermée sur elle-même. Elle est à l'écoute de ce qui se passe non seulement dans les autres provinces, mais aussi aux États-Unis et en Europe. En 1880, le gouvernement provincial, qui a de la difficulté à trouver le financement pour la construction des chemins de fer, emprunte quelques dizaines de milliers de dollars sur le marché financier français. Cela donnera naissance au Crédit foncier franco-canadien. C'est l'occasion pour quelques Français de redécouvrir l'existence d'une ancienne colonie. On peut lire dans le quotidien parisien *Le Gaulois*: « Le Bas-Canada est resté tellement province française ; il a tellement gardé les mœurs, les usages et la langue même des anciens habitants de la Nouvelle-France qu'il nous est permis de regarder les membres de sa population actuelle comme des compatriotes d'outre-océan. »

Le rapprochement avec la France n'est pas seulement d'ordre financier, il se manifeste aussi dans le domaine culturel. Au cours du mois de décembre 1880, la comédienne Sarah Bernhardt est reçue triomphalement à Montréal, malgré les mises en garde de l'évêque Bourget. Le soir de la première représentation, le marquis de Lorne, gouverneur du Canada et gendre de la reine Victoria, est présent dans la salle. « La salle était bruyante et frémissante, raconte l'actrice dans ses mémoires. Je regardais par une ouverture du rideau la composition de cette assemblée. Tout d'un coup, il se fit un silence immédiat, sans qu'aucune manifestation en eût provoquée l'effet ; et La Marseillaise fut entonnée par trois cents voix mâles, jeunes et chaudes. [...] Aussitôt le chant terminé, les applaudissements de la foule reprirent par trois fois ; puis, sur un geste net du gouverneur, l'orchestre joua le God Save the Queen. »

Une foule beaucoup plus nombreuse et beaucoup plus bruyante manifestera son indignation en novembre 1885. Le Canada traverse alors sa première grande crise politique. Le 22 novembre 1885, à Montréal, entre 25 000 et 50 000 personnes, selon les estimations de la presse anglophone ou de la presse francophone, se massent au Champ de Mars pour écouter des orateurs parler de la pendaison de Louis Riel et de ses conséquences. Quelques jours auparavant, à Regina, le chef des insurgés métis avait été pendu, même si des médecins avaient démontré que son état de santé mentale laissait à désirer. John A. Macdonald n'avait-il pas déclaré que « même si tous les chiens du Québec aboient, Riel sera pendu ». Et il le fut ! Riel, d'origine métisse, s'était déjà valu une première condamnation en 1870, alors qu'au Manitoba il avait pris la tête d'un soulèvement de Métis qui protestaient contre la façon dont des arpenteurs divisaient le territoire acheté de la Hudson's Bay Company par le gouvernement canadien l'année précédente. Tout comme pour le régime seigneurial, les Métis avaient divisé les terres qu'ils occupaient, de façon non officielle, en longues bandes étroites pour qu'un plus grand nombre ait accès aux lacs ou aux rivières.

La même situation se présente en Saskatchewan à partir des années 1880. Des Métis se rendent au Montana où Riel travaille comme instituteur, pour le convaincre de prendre la tête de leur mouvement de contestation. Des Indiens participent alors au même soulèvement. Des Canadiens français, ayant reçu la bénédiction de l'évêque Bourget, viennent prêter main-forte aux forces de l'ordre. Les Métis et les Indiens sont défaits. Riel, le chef, subit un procès devant un jury composé uniquement de sujets anglophones. Il est condamné à mort et sa pendaison a lieu le vendredi 16 novembre 1885, malgré les interventions et les protestations des francophones. Chez les anglophones, les interventions sont aussi nombreuses pour exiger un châtiment exemplaire. Dans l'édition du 4 novembre du journal *The Mail* de Toronto, on lit: « Qu'on nous permette de leur assurer (aux Canadiens français) que plutôt que de se soumettre à un tel joug, l'Ontario briserait plutôt la Confédération en ses parties originelles, préférerait que le rêve d'un Canada uni s'évanouisse pour toujours. Comme Bretons, nous croyons qu'on devra se battre à nouveau pour la conquête et le Bas-Canada peut le croire, il n'y aura pas cette fois de traité de 1763. Les vainqueurs ne capituleront pas la prochaine fois. Mais le peuple canadien-français perdrait tout. Le naufrage de leurs fortunes et de leur bonheur serait rapide, complet et irrémédiable. »

Dès que la pendaison de Riel est connue au Québec, les manifestations d'indignation et de protestation vont se multiplier. Le nouveau quotidien *La Presse* parle même d'une indépendance éventuelle de la province de Québec. En « Premier Montréal », on lit: « Riel n'expie pas seulement le crime d'avoir réclamé les droits de ses compatriotes; il expie surtout et avant tout le crime d'appartenir à notre race. » Pour le journaliste du *Canadien* de Québec, les conséquences à venir sont graves: « Le sang est un mauvais ciment et, si la Confédération n'en a pas d'autre, le coup de vent qui la culbutera n'est pas loin à l'horizon. » En Ontario, des loges orangistes, reconnues pour être les pires ennemies des francophones, adoptent des résolutions de félicitations à l'intention du gouvernement conservateur de John A. Macdonald !

Au Québec, on déclare qu'il n'y aura plus de conservateurs ou de libéraux, il n'y aura que le parti national et le parti de la corde. Honoré Mercier, d'allégeance libérale, canalisera le mécontentement et mettra sur pied le Parti national, un parti politique se donnant pour mission de défendre principalement les intérêts des Canadiens français. Laurier ne voit dans la formation d'un tel parti que des effets néfastes pour les francophones. Au cours de l'été 1886, alors que la campagne électorale soulève beaucoup d'intérêt et de passion dans les diverses régions du Québec, à Montréal, des dirigeants ouvriers se présentent, pour la première fois, comme « candidats de la classe ouvrière ». Le 14 octobre, Mercier et le Parti national sont portés au pouvoir.

Honoré Mercier, premier ministre de la province de Québec, et Oliver Mowat, premier ministre de l'Ontario, font front commun pour demander plus de pouvoir pour les provinces. L'autonomie provinciale est leur cheval de bataille. Ils convoquent la première conférence interprovinciale qui se tiendra à Québec à l'automne 1887. Une des résolutions adoptée demande que les provinces aient le droit de nommer la moitié des sénateurs.

Au moment où se tient la première conférence interprovinciale, la Commission royale d'enquête sur les relations entre le travail et le capital enquête sur le travail des femmes et des enfants. Le rapport, qui est remis en avril 1889, montre que des enfants des deux sexes âgés de moins de 12 ans travaillent dans des fabriques de cigares. À cause du système d'amendes, les plus turbulents doivent de l'argent au patron à la fin d'une semaine de 60 heures! Les commissaires demandent l'adoption d'une loi interdisant le travail des femmes et des enfants pour plus de 54 heures par semaine ou plus de 10 heures par jour.

Un des premiers syndicats structurés, les Chevaliers du travail, d'origine américaine, recrute plusieurs membres au Québec. Comme ils exigent le secret sur leurs délibérations et leurs décisions, le clergé catholique les dénonce et en interdit l'appartenance. L'affaire se rendra jusqu'à Rome où le pape Léon XIII, à la mi-août 1887, décrète qu'il « n'y a pas matière en censure ». Le cardinal Elzéar-Alexandre Taschereau se soumet à moitié en écrivant aux membres de son clergé au mois de janvier de l'année suivante : « À ceux qui viendront vous consulter, vous direz de ma part que je conseille fortement à tous les catholiques de l'archidiocèse [de Québec] de ne pas s'enrôler dans cette société qui est pour le moins dangereuse et d'en sortir au plus tôt s'ils en font partie. » Les Chevaliers du travail perdront du terrain au profit du Congrès des métiers et du travail du Canada, mis sur pied en 1883.

À la fin de la décennie 1880, alors que la crise soulevée par la pendaison de Riel s'estompe graduellement, un nouveau brandon de discorde crée de l'agitation à la suite d'une décision du gouvernement Mercier de régler « la question des biens des Jésuites ». À la suite de la capitulation de la Nouvelle-France en 1760, les jésuites s'étaient vus interdire tout recrutement. Ils possédaient alors de nombreuses seigneuries. Le dernier survivant meurt en mars 1800 et le gouvernement s'empare des biens. Pendant plusieurs décennies, on se demande quelle devait être l'utilisation de ces avoirs. La question traîne et le premier ministre Mercier décide de régler le problème après de nombreuses consultations. Même si les biens des jésuites étaient évalués par ces derniers à deux millions de dollars, Mercier offre une compensation de 400 000 $. Ce montant devrait être partagé entre les religieux, les maisons d'éducation et les diocèses. Pour faire taire les protestations anglophones, une somme de 60 000 $ est allouée « aux différentes universités et maisons d'éducation protestantes et dissidentes de cette province ». Le pape est invité à entériner ce règlement.

À Ottawa, certains députés demandent que le gouvernement fédéral déclare inconstitutionnelle la loi des biens des jésuites, ce que refusera de faire John A. Macdonald. Mais, encore une fois, le cri racial est lancé ! Un ancien maire de Toronto est un des premiers à le proférer à Montréal, le 25 avril 1889 : « Les Canadiens français veulent écraser les Anglais ; ils veulent reconquérir par la ruse ce qu'ils ont perdu par la force. Non contents de dominer en autocrates dans la province de Québec, ils envahissent l'Ontario et, si on les laisse faire, ils seront avant longtemps maîtres du terrain. » Heureusement, d'autres anglophones comprennent beaucoup mieux la situation et lancent des appels au calme. Le feu se rallume quelques mois plus tard, alors qu'à Toronto on forme l'*Equal Rights Association*, dont le but est de « protéger le pays contre la francité envahissante et l'agressif catholicisme ». Honoré Mercier et Wilfrid Laurier, devenu chef du Parti libéral du Canada, multiplient les interventions de bonne entente. Chez nos voisins du Sud, quelques Américains se convainquent que les Canadiens français constituent une menace même pour les États-Unis. Les mesures pour faire disparaître le bilinguisme autant au Manitoba que dans les Territoires du Nord-Ouest ne sont pas pour ramener le calme. Dans la province du Manitoba, les lois abolissant les écoles séparées, donc catholiques de langue française, ainsi que l'usage officiel de la langue française entrent en vigueur le 1er mai 1890.

Au fédéral comme au provincial, le long règne des conservateurs tire à sa fin. Des scandales mettant en scène des ministres de cette formation politique affaiblissent le parti. Plusieurs souhaitent des changements. Macdonald décède en 1891 et, au cours des cinq années qui suivent, quatre premiers ministres se succéderont. Des élections générales ont lieu le 23 juin 1896 et Laurier devient le premier Canadien français à occuper le poste de premier ministre du Canada. Au Québec, son parti remporte 49 sièges et les conservateurs seulement 16, malgré les pressions du clergé catholique en faveur des conservateurs. L'année suivante, les libéraux prennent le pouvoir au Québec et ils le garderont jusqu'en 1936.

Le Canada fait toujours partie de l'Empire britannique et il n'est pas maître de sa politique extérieure, ce qui signifie que, si la Grande-Bretagne entre en guerre, le Canada le sera automatiquement. Mais la question se pose : quelle serait la participation effective du Canada à ces guerres ? Cette question cesse d'être théorique en 1899, alors que Londres déclare la guerre aux Bœrs qui habitent dans la partie sud de l'Afrique. On vient de découvrir des mines de diamants et d'or dans cette région et cette richesse ne peut qu'appartenir aux Britanniques ! Alors que des pressions s'exercent sur le premier ministre Laurier pour qu'il envoie des troupes combattre aux côtés des Britanniques, d'autres pressions demandent que le Canada demeure neutre dans cette guerre dont les motifs ne semblent pas des plus louables. Un arrêté en conseil, en date du 13 octobre 1899, stipule que le gouvernement fédéral paiera le coût de l'équipement et du transport d'un contingent de 1 000 volontaires. Au jeune Henri Bourassa, petit-fils de Louis-Joseph Papineau, qui demande à Laurier de tenir compte de l'opinion des Canadiens français qui sont, pour la plupart, contre toute participation cana-dienne au conflit, le premier ministre répond: « Mon cher Henri, la province de Québec n'a pas d'opinions, elle n'a que des sentiments. » En Afrique du Sud, la guerre dure plus longtemps que prévu et ce seront de fait près de 7 400 volontaires qui iront combattre les Bœrs.

Au tout début du XXe siècle, le Québec est une province en plein développement. L'électricité, qui vient de faire son apparition, permet une accélération de la modernisation des usines et des manufactures. L'industrie de la chaussure, les usines de pâtes et papiers, le secteur des produits laitiers, l'exploitation forestière et la confection vestimentaire constituent les principaux secteurs d'activité. Montréal, avec ses 267 000 habitants, est le centre nerveux de toute l'activité économique. Une activité dont les principaux bénéficiaires sont des anglophones, les francophones se retrouvant surtout dans des emplois subalternes.

Les finissants des collèges classiques se dirigent surtout vers la prêtrise, la médecine, le droit ou le notariat. Bien peu choisissent la profession d'ingénieur. Le monde des sciences attire peu de jeunes gens. À plusieurs reprises, ils se sont fait dire qu'ils devaient être les porte-flambeaux de la civilisation française catholique, que les Canadiens français n'étaient pas faits pour les affaires. Le 24 juin 1902, dans son sermon, le théologien Louis-Adophe Paquet rappelle : « Notre mission est moins de manier des capitaux que de remuer des idées ; elle consiste moins à allumer le feu des usines qu'à entretenir et à faire rayonner au loin le foyer lumineux de la religion et de la pensée. »

Après Étienne Parent dans les années 1840, l'avocat et économiste Errol Bouchette ne peut accepter que les francophones ne soient pas faits pour les affaires. « Nos compatriotes de la province de Québec, écrit-il, ne sont pas moins aptes à l'industrie que les autres races du continent et, bien instruits et bien dirigés, ils obtiendront des résultats qui étonneront tout le monde et eux-mêmes les premiers. » Alphonse Desjardins, tour à tour militaire, journaliste et fonctionnaire, a bien compris la chose puisqu'il vient de mettre sur pied la première caisse populaire. En peu d'années, plusieurs villes et villages se doteront d'une institution semblable destinée à venir en aide aux « petits épargnants ». « Emparons-nous de l'industrie », devient le mot d'ordre de plusieurs nationalistes.

D'ailleurs, au début du XXe siècle, le nationalisme canadien-français s'affirme de plus en plus. La Ligue nationaliste canadienne, fondée en mars 1903, réclame « pour le Canada, dans ses relations avec l'Angleterre, la plus large mesure d'autonomie politique, commerciale et militaire, compatible avec le maintien du lien colonial ; pour les provinces canadiennes, dans leurs relations avec le pouvoir fédéral, la plus large mesure d'autonomie compatible avec le maintien du lien fédéral ; pour toute la Confédération, [l']adoption d'une politique de développement économique et intellectuel exclusivement canadienne ». La promotion du nationalisme canadien ne plaît pas à tous les francophones. Certains préconisent un nationalisme canadien-français. Le journaliste Jules-Paul Tardivel, qui avait publié en 1895, sous le titre *Pour la patrie*, le premier roman séparatiste, est de ceux-là. « Notre nationalisme à nous, écrit-il dans son journal *La Vérité* le 2 avril 1904, est le nationalisme canadien-français. [...] Ce que nous voulons voir fleurir, c'est le patriotisme canadien-français ; les nôtres, pour nous, sont les Canadiens français ; la patrie, pour nous, nous ne disons pas que c'est précisément la province de Québec, mais le Canada français ; la nation que nous voulons voir se fonder à l'heure marquée par la divine Providence, c'est la nation canadienne-française. »

À la mi-mars de cette année 1904, était fondée à Montréal l'Association catholique de la jeunesse canadienne-française (ACJC), une association qui se développera surtout chez les jeunes des collèges classiques. Pour elle, « la race canadienne a une mission spéciale à remplir sur ce continent et [...] elle doit pour cette fin garder son caractère distinctif de celui des autres races ». Le rôle joué par l'ACJC sera primordial. Ce mouvement, affirme l'historien américain Mason Wade, « fut le berceau du nationalisme canadien-français du vingtième siècle et le mélange de religion et de patriotisme qu'elle engendra fut porté dans tous les milieux de la vie canadienne-française par l'enseignement passionné que recevait la jeune élite qui passait par ses rangs ».

Alors que certains jeunes étudiants s'embrigadent dans un mouvement nationaliste, des ouvriers veulent mieux s'organiser en syndicats. L'épiscopat catholique se donne alors pour tâche de fonder des syndicats confessionnels pour contrebalancer l'influence des syndicats internationaux, neutres sur le plan religieux. Une autre menacc cst l'arrivée massive d'immigrants qui ne sont pas de langue française et de religion catholique. Entre 1901 et 1910, le Canada accueille 1 632 000 immigrants, dont seulement 15 835 viennent de la France. Les dirigeants nationalistes prônent un resserrement des rangs et on lance les premières campagnes d'achat chez nous.

Henri Bourassa considère que ce qui manque au Québec, c'est un journal indépendant, une publication qui ne sera point liée à une formation politique. Le 10 janvier 1910, paraît à Montréal le premier numéro du quotidien *Le Devoir*, dont la devise sera « Fais ce que doit ». Une des premières campagnes du journal sera la défense de la langue française menacée en Ontario et dans l'Ouest canadien. L'évêque catholique de London, Michael Francis Fallon, réclame l'abolition des écoles séparées catholiques de langue française qui existent en Ontario. Dans cette province, comme en Nouvelle-Angleterre, le clergé irlandais est un puissant facteur d'assimilation des francophones. Mais peu ont le courage de le dénoncer. Bien plus, lors du grand congrès eucharistique qui se tient à Montréal en septembre 1910, le représentant du pape, l'archevêque de Westminster, Francis Bourne, demande ouvertement aux francophones catholiques d'abandonner leur langue au nom de la catholicité. « Ce n'est qu'en faisant servir la langue anglaise à la cause de la vérité que le Canada peut devenir, dans le vrai sens du mot, une nation catholique. [...] Tant que la langue anglaise, les façons de penser anglaises, la littérature anglaise — en un mot la mentalité anglaise tout entière — n'aura pas été amenée à servir l'Église catholique, l'œuvre rédemptrice de l'Église sera empêchée et retardée. » Le bon archevêque, imbu de l'impérialisme britannique et romain, avait osé tenir de tels propos devant un auditoire composé quasi uniquement de Canadiens français. Henri Bourassa se charge de lui répondre, au grand plaisir des évêques présents.

En Ontario, les loges orangistes réclament l'abolition des écoles séparées. Selon elles, « l'usage du français dans les écoles publiques de l'Ontario constitue une grave menace à l'intégrité de la province en tant que communauté anglophone ». En juin 1912, le gouvernement de cette province adopte un règlement en ce sens, le règlement 17, qui stipule : « L'enseignement en anglais devra commencer dès l'entrée de l'enfant à l'école, l'usage du français, langue d'instruction et de communication variant selon les circonstances locales au reçu du rapport de l'inspecteur surveillant, mais ne devant en aucun cas se poursuivre au-delà de la première année. » La nouvelle mesure entrera en vigueur en septembre 1913. Chez les francophones québécois, l'indignation est grande, mais on ne songe nullement à prendre des mesures pour restreindre les droits et les privilèges de la minorité anglophone.

Tout cela se déroule à une époque où l'on sait qu'une guerre est imminente entre l'Allemagne, la Grande-Bretagne et la France.

Sur tous les fronts

Lorsque l'Allemagne déclare la guerre à la Grande-Bretagne, le 4 août 1914, le Canada sait qu'il est lui aussi en guerre. Alors que le gouvernement canadien recrute ses premiers volontaires, certains nationalistes affirment que le vrai champ de bataille n'est pas en Europe, mais en Ontario. Armand Lavergne, député de Montmagny à l'Assemblée législative de la province de Québec, y va d'une déclaration fracassante : « Si l'on nous demande d'aller nous battre pour l'Angleterre, nous répondrons : qu'on nous rende nos écoles ! »

Afin de faciliter le recrutement d'hommes pour les combats en Europe, des conseils municipaux accordent « un congé avec plein traitement à tous les fonctionnaires faisant partie de la milice et qui feront du service actif durant la présente guerre ». D'autre part, le gouvernement fédéral crée un Fonds patriotique canadien « pour secourir les familles des soldats, résidant au Canada en service actif avec les Forces expéditionnaires navales et militaires de l'Empire britannique ». Les évêques des provinces ecclésiastiques d'Ottawa, de Montréal et de Québec lancent un appel aux fidèles pour qu'ils soient généreux. « De ce revenu, écrivent-ils dans leur lettre pastorale, il sera fait deux parts. Une moitié sera remise aux directeurs du Fonds patriotique pour les fins auxquelles il est ou pourra être dans la suite légalement destiné, et l'autre moitié sera distribuée dans chaque diocèse à ces autres familles qui, à raison du chômage forcé ou d'autres causes, seraient réduites à l'indigence, surtout pendant les rigueurs de l'hiver. »

Pour entraîner les volontaires, on construit un camp à Valcartier. Assez rapidement, on y retrouve 35 000 hommes. Bon nombre d'entre eux s'embarqueront pour l'Angleterre dès le début du mois d'octobre. Pour faciliter le recrutement des francophones, on crée un régiment où ils sont censés être majoritaires, le « Royal Canadien français », qui portera le numéro 22. Mais certains éléments anglophones considèrent qu'il y a trop peu de Canadiens français qui se portent volontaires. D'autant plus que les dénonciations du règlement 17 se multiplient. L'Association catholique de la jeunesse canadienne-française lance une campagne de collecte de fonds pour venir en aide « aux blessés de l'Ontario ». *Le Devoir* est le principal organe de la lutte. D'ailleurs, son directeur, Henri Bourassa, ne craint pas d'affronter directement le gouvernement de l'Ontario et les loges orangistes : « Au nom de la religion, de la liberté, de la fidélité au drapeau britannique, on abjure les Canadiens français d'aller combattre les Prussiens d'Europe. Laisserons-nous les Prussiens de l'Ontario imposer en maître leur domination, en plein cœur de la Confédération canadienne, à l'abri du drapeau et des institutions britanniques ? »

En janvier 1915, la question scolaire ontarienne est abordée à l'Assemblée législative de Québec. Deux députés anglophones présentent une motion qui déplore « les divisions qui semblent exister parmi la population de la province de l'Ontario au sujet des écoles bilingues ». Tous les députés présents votent en faveur de la motion, dont copie est envoyée à l'évêque Fallon qui est toujours convaincu que le règlement 17 est « une solution juste et équitable ». Certains supplient Ottawa d'intervenir dans la question scolaire ontarienne, même si l'éducation est du ressort exclusif des provinces.

En Europe, les combats se multiplient, plus meurtriers les uns que les autres. Des pressions de plus en plus fortes sont exercées sur le gouvernement fédéral pour qu'il décrète la conscription. Au cours des cinq premiers mois de 1916, selon le *Canadian Annual Review*, « le Québec n'avait levé qu'un quart de ses quotas, les Maritimes la moitié, l'Ontario les sept-neuvièmes. Seules les provinces de l'Ouest l'avaient dépassé ». Les agents recruteurs redoublent donc d'activité et aussi d'agressivité. Des comités de recrutement essaient d'attirer les recrues avec des annonces dans ce genre : « Chaque soldat qui s'enrégimentera recevra 1,10 $ par jour, sa femme recevra une allocation de 20 $ par mois, et de plus une allocation du Fonds patriotique pour elle et ses enfants. »

Si bon nombre de Canadiens français sont peu intéressés à aller faire la guerre en Europe, alors que l'on sait que les Allemands ont commencé à utiliser des gaz mortels, ils ne sont pas les seuls. Dans son étude sur la Première Guerre mondiale, l'historien Desmond Morton arrive à cette conclusion : « Dans tout le Canada, la plupart des personnes en âge de se battre ne se portèrent jamais volontaires. Les Canadiens de vieille souche et ceux qui vivaient sur des fermes, qui étaient mariés ou qui avaient un emploi étaient les moins susceptibles de s'enrôler. Ce n'était pas une coïncidence si les taux de recrutement des provinces maritimes se classaient à peine devant ceux du Québec. »

La conduite générale des Québécois francophones soulève l'indignation des orangistes. Quelques-uns appréhendent l'établissement d'une république française dans la vallée du Saint-Laurent. Un d'entre eux déclare : « Si l'occasion devait se présenter, 250 000 orangistes, trop vieux pour aller combattre au-delà des mers, pourraient être enrôlés dans un mois pour détruire toute tentative qui pourrait être faite dans la province de Québec pour fonder une république. »

Au cours des premiers mois de 1917, les rumeurs d'une conscription se font plus nombreuses. À Montréal, des assemblées anti-conscriptionnistes attirent des milliers de personnes. Le service militaire obligatoire devient presque nécessaire, le nombre de pertes dépassant souvent du double celui des recrues. Le 11 juin, le premier ministre Robert Borden présente un projet de loi établissant la mobilisation générale. « Tous les sujets britanniques, âgés de 20 à 45 ans, qui résident au Canada ou y ont résidé depuis le 4 août 1914, sont astreints au service militaire actif. » À la Chambre des communes, les discussions sont souvent âpres et ce n'est que le 28 août que le gouverneur général, le duc de Connaught, accorde la sanction royale au projet de loi. Il va sans dire que la conscription sera le thème dominant de la campagne électorale fédérale de l'automne 1917. Alors que les autres provinces votent majoritairement pour le gouvernement de coalition dirigé par Borden, le Québec élit 62 libéraux, deux conservateurs et un libéral-unioniste, ce qui donne lieu à des déclarations anti-Québec dans la presse anglophone. Pour la première fois depuis l'entrée en vigueur de la Confédération, aucun francophone ne fera partie du cabinet des ministres.

Le 21 décembre, à l'Assemblée législative de Québec, Joseph-Napoléon Francœur, député libéral de Lotbinière, présente une motion qui illustre bien le climat qui règne alors à travers le Canada : « Que cette Chambre est d'avis que la province de Québec serait disposée à accepter la rupture du pacte fédératif de 1867, si, dans les autres provinces, on croit qu'elle est un obstacle à l'union, au progrès et au développement du Canada. » Après un court débat, la motion est retirée le 23 janvier 1918. C'était la première manifestation d'un séparatisme négatif, à savoir que, si le reste du Canada n'est pas content, le Québec est prêt à se retirer de la Confédération. Les premiers ministres Louis-Alexandre Taschereau et Maurice Duplessis brandiront la même menace quelques années plus tard. Au cours des discussions, un député de l'île de Montréal était quasi convaincu que, si le Québec se séparait du Canada, Montréal formerait une nouvelle province !

L'adoption de la loi sur la conscription ouvre la chasse aux déserteurs. À Québec, cette chasse se terminera par la mort de quatre hommes et plusieurs blessés, les militaires, en majorité des anglophones de la région de Toronto, ayant reçu ordre de faire feu sur les manifestants qui protestaient contre une arrestation considérée comme injustifiée. Il est vrai que des émeutiers avaient saccagé divers édifices.

La Première Guerre mondiale se termine le 11 novembre 1918 par la signature d'un armistice. Au moment où la paix revient, l'épidémie de grippe espagnole tire à sa fin. Elle aura fait, au Québec seulement, entre 8 000 et 14 000 victimes. Il faudra attendre encore quelques mois pour que ceux qui s'étaient battus en Europe reviennent dans leurs foyers. Certaines retrouvailles ont dû se faire sans alcool, car la vente des boissons enivrantes est interdite à partir du 1er mai 1919, sauf pour certains cas d'exception. À cette époque, est considérée comme boisson enivrante « l'alcool et toutes liqueurs, et tous mélanges de liqueurs, breuvages, liquides, comestibles solides, contenant plus de deux et demi pour cent de teneur en alcool ». La loi établissant la prohibition autorise la tenue d'un référendum sur le sujet. La question posée est claire : « Êtes-vous d'opinion que la vente des bières, cidres et vins légers, tels que défini par la loi devrait être permise ? » Le 10 avril 1919, les partisans du « oui » remportent la victoire par une mince majorité. Sept circonscriptions, où la population anglophone est la plus nombreuse, se retrouvent avec une stricte prohibition.

Le 9 juillet 1920, Louis-Alexandre Taschereau devient premier ministre de la province de Québec. Son programme contient, entre autres, l'engagement de régler la question des boissons alcooliques et celle de l'assistance publique. L'année suivante est créée la Commission des liqueurs de Québec qui aura le contrôle absolu sur la vente des boissons alcooliques. La même année est approuvée la loi établissant un service d'assistance publique. À l'avenir, les frais d'hospitalisation des indigents seront payés pour un tiers par le gouvernement provincial, un tiers par la municipalité où demeure l'indigent et le dernier tiers par l'institution d'assistance. Certains voient dans cette mesure un premier pas vers l'étatisation du système hospitalier dirigé, en très grande partie, par des communautés religieuses.

Les années 1920 sont les témoins d'une rapide évolution d'une partie de la population québécoise. Les urbains sont plus nombreux que les ruraux. Le nombre d'automobiles de promenade passe de près de 36 000 en 1920 à 140 800, pas plus de 10 années plus tard. Il y a, pour la même période, un accroissement de 700 pour cent des camions. En 1920, les compagnies productrices d'électricité comptaient 248 000 abonnés; en 1926, le nombre de ces derniers atteint 363 000. Le Québec figure au deuxième rang des provinces canadiennes pour la richesse nationale. La question du contrôle de l'économie se pose de plus en plus. En décembre 1921, dans la revue *L'Action française*, l'abbé Lionel Groulx, au terme d'une vaste enquête sur les problèmes économiques du Québec, arrive à cette conclusion: « Une histoire longue de trois siècles, la possession presque entière du sol par une race déterminée, l'empreinte profonde que cette race y a gravée par ses mœurs et ses institutions originales, le statut spécial qu'elle s'est réservée dans toutes les constitutions politiques depuis 1774, ont fait du Québec un État français qu'il faut reconnaître en théorie comme en fait. C'est cette vérité qu'il faut replacer en haut pour qu'elle y gouverne chez nous l'ordre économique, comme on admet spontanément qu'elle doive gouverner les autres fonctions de notre vie. » De là à remettre en cause l'appartenance du Québec à la Confédération, il n'y a qu'un pas que quelques nationalistes ferons!

Pour la majorité de la population, la question économique est plus importante. La fin de la guerre avait signifié le début d'une récession. Le taux de chômage, qui était très bas durant le conflit, augmente de façon appréciable. En 1921, selon les données fournies par les syndicats et publiées dans la *Gazette du travail,* plus de 16 pour cent de la main-d'œuvre syndiquée est en chômage. Le taux réel est beaucoup plus élevé, car tous les ouvriers ne sont pas membres d'un syndicat. En novembre 1928, le taux est de 6,3 pour cent. Une année plus tard exactement, il atteint 13,6 pour cent.

Bien peu d'indices laissent prévoir la tragédie qui approche. Depuis 1921, le coût de la vie a très peu bougé. En décembre 1921, « la dépense hebdomadaire pour une famille de cinq personnes, en aliments de consommation générale, combustible, éclairage et loyer, en termes de la moyenne des prix dans 60 villes du Canada » était de 21,56 $. Pour le même mois, en 1928, l'augmentation n'a été que de 0,07 $.

Des milliers de Québécois ont placé de l'argent à la bourse où plusieurs jouent sur marge. La valeur de la plupart des actions a doublé, triplé, même quadruplé. La fièvre boursière s'est emparée du marché. Au début du mois d'octobre 1929, la Bourse de New York commence à avoir des ratés. Le jeudi 24 octobre, c'est l'effondrement. À titre d'exemple, les actions de la Dupont of Nemours, qui valaient 231 $, ne se vendent plus que 22 $. La panique s'empare des boursicoteurs. Au cours des semaines qui suivent, la situation devient de plus en plus confuse. Tantôt, on assiste à des hausses importantes de la valeur de certaines actions, tantôt ce sont des baisses tragiques. Lentement, mais sûrement, le Québec, comme le reste du monde occidental, s'installe dans ce que l'on appellera « la Grande Dépression ». Plusieurs sont ruinés. Quelques-uns, qui ne peuvent faire face à leur déconfiture, se suicident. Les usines et les manufactures licencient des milliers de travailleurs. Le chômage devient un mal chronique. Au Québec, en décembre 1932, il atteint un sommet : 30,9 pour cent de la main-d'œuvre syndiquée.

Au début de la Crise, les personnes dans le besoin ne peuvent compter que sur l'aide provenant des associations charitables ou des parents ou des amis. Au cours de l'été de 1930, le gouvernement provincial et la Ville de Montréal accordent quelques centaines de milliers de dollars pour venir en aide aux démunis. Au cours des années qui suivent, on recourra à des travaux publics pour lutter contre le chômage. Mais, comme tous ne peuvent dénicher du travail, les trois niveaux de gouvernements établissent le système de secours direct. Le gouvernement fédéral, le gouvernement provincial et les municipalités doivent contribuer pour un tiers chacun. Or, au début de 1933, environ une trentaine de corporations municipales ou scolaires sont mises en curatelle. Pour elles, c'est presque la faillite ! Les salaires des fonctionnaires fédéraux subissent une diminution de 10 pour cent.

Le climat social se détériore. On dénonce les « étrangers » et les femmes qui travaillent encore, les accusant de voler la place d'honnêtes pères de famille. À Montréal, des mesures sont prises pour empêcher les chômeurs de pénétrer dans l'île. À Valcartier, le camp militaire est transformé en camp pour chômeurs célibataires. Ces derniers doivent exécuter certains travaux pour lesquels ils reçoivent 20 cents par jour, ce qui leur méritera le surnom de « Vingt Cents ».

Au début des années 1930, apparaît un nouveau moyen de lutter contre le chômage dans les villes, en particulier à Montréal : le retour à la terre. Le gouvernement provincial de même que certains membres du clergé et d'associations nationalistes prêchent une immigration vers l'Abitibi où des centaines de lots sont disponibles. Le gouvernement de Taschereau va consacrer quelques dizaines de milliers de dollars à transformer en colons des urbains qui n'ont aucune notion du travail de la terre. L'opération sera un échec, d'autant plus que, très souvent, les lots concédés sont peu fertiles ou trop rocailleux. Hector Authier, député provincial de l'Abitibi, fait parvenir au conseil municipal de Montréal une lettre dans laquelle on trouve le passage suivant, qui est révélateur de la qualité de l'opération « Retour à la terre » : « Faites donc savoir aux gens de Montréal que l'Abitibi n'est ni un hôpital, ni un refuge et qu'il n'y a pas de Société Saint-Vincent-de-Paul chez nous. Les gens sont charitables, mais actuellement nous avons assez des vôtres. Que chacun ait soin de ses pauvres et ça ira mieux. »

Quelques nationalistes se convainquent que la solution à tous les problèmes serait l'indépendance de la province de Québec. Des étudiants de niveau universitaire forment une nouvelle association, les Jeune-Canada. Le 8 avril 1935, Paul Simard, un des membres, déclare : « Il nous faut conquérir à tout prix notre indépendance intellectuelle, politique, économique. [...] Québec doit devenir au plus tôt un État libre dans lequel la nation canadienne-française sera absolument maîtresse de ses destinées. Dans le domaine économique, il nous faut vaincre tous les spoliateurs étrangers. Une telle résurrection spirituelle ne s'accomplira que par le ralliement de tous sous une même bannière : celle d'un même chef. » Lionel Groulx est, pour ces jeunes, le chef tout désigné. Deux ans plus tard, le chanoine-historien, dans un discours prononcé lors du deuxième Congrès de la langue française, affichera clairement ses couleurs : « Qu'on le veuille ou pas, notre État français, nous l'aurons : nous l'aurons jeune, fort, rayonnant et beau foyer spirituel, pôle dynamique pour toute l'Amérique française. Nous aurons aussi un pays français, un pays qui portera son âme dans son visage. » Tancé par Maurice Duplessis, premier ministre du Québec depuis 1936, et par le cardinal Rodrigue Villeneuve qui avait déjà écrit, 14 années auparavant : « De gré ou de force, le tronçonnement du Canada s'en vient », Groulx nuance ses propos : « Je ne suis pas séparatiste. Quand je dis État français, je parle d'un État fédératif. Je reste dans la ligne de l'histoire. Nous ne sommes pas entrés dans la Confédération pour en sortir, mais pour nous y épanouir. » Pour le chef nationaliste, l'avenir du Québec se fera à l'intérieur du cadre fédératif si possible, à l'extérieur si c'est impossible !

Si, pour certains, la solution à la Crise, c'est l'indépendance, pour d'autres, ce sera l'établissement d'un gouvernement communiste. Pour lutter contre les « communisses », Duplessis fait approuver la loi du cadenas qui autorise la Police provinciale à cadenasser la porte des locaux qu'occuperaient des personnes soupçonnées d'être communistes ou de sympathiser avec eux. Le problème, c'est que la loi ne précise pas ce qu'est un communiste ! À l'opposé des théories marxistes, se développont des idées fascistes. En février 1934, Adrien Arcand et quelques acolytes mettent sur pied le Parti national social chrétien qui ne cache pas sa sympathie pour Hitler et ses doctrines. Il va sans dire qu'avec l'entrée en guerre contre l'Allemagne, ce parti sera mis hors la loi et ses chefs, internés.

Beaucoup plus orthodoxes sont les prises de position d'un groupe de penseurs laïcs, parmi lesquels on trouve Esdras Minville, Philippe Hamel, Anatole Vanier et René Chaloult. De concert avec les jésuites de l'École sociale populaire, ils élaborent un programme de restauration sociale, projet global de réforme de la société canadienne-française. Ils préconisent un système de prêts aux agriculteurs, des allocations aux mères nécessiteuses, un salaire minimum, la stricte observance du dimanche, le retour de la mère au foyer, une réglementation des ventes à tempérament, la création d'un conseil économique provincial, etc.

Les idées du Programme de restauration sociale plaisent à certains députés libéraux qui ne sont plus d'accord avec les politiques du gouvernement Taschereau que l'on accuse de patronage et de corruption. Regroupés autour de Paul Gouin, ils fondent l'Action libérale nationale (ALN). À l'occasion des élections générales fixées au 25 novembre 1935, un rapprochement se fait entre l'ALN et le Parti conservateur provincial dirigé par Maurice Duplessis. Les libéraux conserveront le pouvoir avec 48 des 90 sièges. Quant aux conservateurs, ils réussiront à faire élire 16 députés et l'ALN, 26. La session qui suit assure le triomphe de Duplessis qui attaque sans cesse le premier ministre et quelques-uns de ses ministres lors des débats sur les comptes publics. Taschereau est acculé à la démission et cède sa place à Adélard Godbout. De nouvelles élections ont lieu le 17 août 1936. L'Union nationale, tel est le nom résultant de la « fusion » du Parti conservateur et de l'ALN, s'empare du pouvoir avec 76 sièges sur les 90 que comprend l'Assemblée législative.

Un nouveau règne commence, un règne qui est interrompu en octobre 1939, alors que les libéraux de Godbout remportent la victoire. Depuis le 10 septembre précédent, le Canada est en guerre contre l'Allemagne. Duplessis, qui s'est fait couper les vivres par les banques, déclenche des élections brusquées. Le thème dominant de la campagne électorale est la conscription. Les orateurs libéraux rappellent que ce sont les conservateurs fédéraux qui avaient imposé la conscription lors de la Première Guerre mondiale. Deux jours avant l'entrée en guerre du Canada, le premier ministre libéral Mackenzie King avait pris un engagement solennel : « Le régime actuel ne croit pas que la conscription des Canadiens pour le service outre-mer soit nécessaire ni qu'il soit une mesure efficace. Une telle mesure ne sera pas proposée par le présent gouvernement. » L'engagement de Godbout est encore plus formel : « Je m'engage, sur l'honneur, en pesant chacun de mes mots, à quitter mon parti et même à le combattre si un seul Canadien français, d'ici à la fin des hostilités, est mobilisé contre son gré sous un régime libéral, et même sous un régime provisoire auquel participeraient nos ministres actuels dans le cabinet de M. King. »

La crainte de l'imposition du service militaire en dehors des frontières canadiennes grandit avec l'enregistrement national. Déjà, le 18 juin 1940, alors que, depuis quatre jours, l'armée allemande occupe Paris, King annonce la conscription pour le territoire canadien, un territoire qui s'agrandira avec le temps, puisque Terre-Neuve, qui ne fait pas encore partie du Canada, et les îles Aléoutiennes seront annexés pour les besoins militaires. Du 19 au 21 août, tous les Canadiens, hommes et femmes, de 16 à 60 ans doivent s'enregistrer. On sait que les premiers à être conscrits seront les célibataires. On assiste donc à une course au mariage. Pour Camillien Houde, maire de Montréal, l'enregistrement national est le premier pas vers une conscription totale. Il recommande donc à ses concitoyens de ne pas se présenter dans les bureaux d'enregistrement, ce qui lui vaut d'être mis aux arrêts et conduit dans un camp de détention. Il ne retrouvera sa liberté que quatre années plus tard.

La promesse de King selon laquelle il n'y aurait pas de conscription pour outre-mer devient embarrassante. Le 22 janvier 1942, dans le discours du Trône, on annonce la tenue d'un plébiscite pancanadien pour relever le gouvernement fédéral d'une promesse faite seulement à la population de la province de Québec. À Montréal, de nombreuses réunions, organisées par la Ligue pour la défense du Canada, se tiendront et se termineront parfois par des bagarres. Le 27 avril, ceux qui ont le droit de vote se prononcent sur la question suivante: « Consentez-vous à libérer le gouvernement de toute obligation résultant d'engagements antérieurs restreignant les méthodes de mobilisation pour le service militaire ? » Les résultats étaient prévisibles: pour l'ensemble du Canada, 80 pour cent répondent oui, alors qu'au Québec 71,2 pour cent votent pour la négative. Peu après, un projet de loi sur la conscription est présenté à la Chambre des communes. Ce ne sera que le 23 novembre 1944 que l'on imposera par décret une conscription totale.

Avec la guerre, la vie quotidienne de la population québécoise se modifie considérablement. La censure est instaurée pour les journaux et la radio. La consommation de la gazoline sera d'abord contrôlée, puis rationnée. Le beurre, le sucre, le thé, le café et bien d'autres produits ne sont plus accessibles que sur la présentation de coupons de rationnement. Se développera quand même un florissant marché noir qui permettra à quelques-uns de s'enrichir rapidement. Il est interdit aux automobilistes de se prêter des pneus ou encore des chambres à air. D'ailleurs, il est impossible de se procurer des pneus neufs. L'adoption de certaines mesures restrictives donne l'impression que les autorités voudraient créer une psychose de guerre. Ainsi, il est défendu de fabriquer des tasses à deux anses et ce, pour économiser les matières premières. D'autres mesures précisent que doivent disparaître les boutons aux manches de complets...

Malgré la guerre, le Québec vit sa pré-révolution tranquille. Le gouvernement Godbout adopte plusieurs mesures qui annoncent les changements à venir. En 1940, les femmes obtiennent enfin le droit de vote au niveau provincial. Elles le possédaient déjà au fédéral depuis 1918. Le Québec était la dernière province à permettre le suffrage féminin. Il est vrai que des membres du haut clergé catholique, dont le cardinal Villeneuve, étaient contre une telle mesure, affirmant que c'était diviser l'autorité maritale. Dans l'édition du 7 mars 1940 de la *Semaine religieuse* de Québec, le cardinal avait fait publier cette mise au point : « Nous ne sommes pas favorables au suffrage politique féminin : 1. Parce qu'il va à l'encontre de l'unité et de la hiérarchie familiale ; 2. Parce que son exercice expose les femmes à toutes les passions et à toutes les aventures de l'électoralisme ; 3. Parce que, en fait, il nous apparaît que la très grande majorité des femmes de la province ne le désire pas; 4. Parce que les réformes sociales, économiques, hygiéniques, etc., que l'on avance pour préconiser le droit de suffrage chez les femmes, peuvent être aussi bien obtenues grâce à l'influence des organisations féminines, en marge de la politique. Nous croyons exprimer ici le sentiment commun des évêques de la province. » Il faudra attendre les élections générales de 1944 pour que toutes les Québécoises habilitées à voter puissent le faire. C'est aussi l'opposition du clergé, pour qui l'éducation relève d'abord des parents qui en ont confié la tâche à l'Église, qui explique que ce n'est qu'en 1943 que l'instruction deviendra obligatoire. Sous peine d'amende, les parents doivent désormais envoyer à l'école tous leurs enfants de 6 à 14 ans.

L'année suivante, le gouvernement Godbout nationalise la Montreal Light, Heat and Power Company et crée la Commission hydroélectrique de Québec, plus connue sous le nom d'Hydro-Québec. Alors que, sous le premier règne de Duplessis, les relations entre le gouvernement et les syndicats sont très souvent tendues, il n'en va pas de même sous Godbout. L'historien Jacques Rouillard résume ainsi les mesures adoptées entre 1939 et 1944 : « Durant le court mandat libéral, les lois sociales ont, en général, l'accord des syndicats. C'est le cas de la loi instituant le Conseil supérieur du travail (1940), de la loi du salaire minimum appliquée à tous les salariés (1940), de l'amendement constitutionnel permettant l'établissement d'un régime d'assurance chômage (1940), de la loi établissant un conseil d'orientation économique (1943), [...] et de la loi des relations ouvrières (1944). » Le temps a manqué au gouvernement Godbout pour mettre sur pied un plan universel d'assurance maladie. Pour certains, si Adélard Godbout avait conservé le pouvoir lors des élections générales le 8 août 1944, il se peut que ce que l'on appellera « la Révolution tranquille » ait eu lieu avant 1960. Le retour au pouvoir de Duplessis et de l'Union marquera un temps d'arrêt.

CALENDRIER DES COUPONS DE RATIONNEMENT DU CONSOMMATEUR

MARS

VALEUR DES COUPONS
SUCRE - 1 livre
THÉ - 2 onces
CAFÉ - ½ livre
BEURRE - ½ livre

DIM.	LUN.	MAR.	MER.	JEUDI	VEN.	SAM.
On distribuera le carnet de rationnement no 4 au cours de la semaine du 27 mars au 1er avril.			1	2 Coupons de sucre 27, 28 Coupons de conserves D14, D15, D16 Coupons de beurre 52, 53 Coupons de viande 41 Valables	3	4
5	6	7	8	9 Coupons thé-café E3, E4 Coupons de viande 42 Valables	10	11
12	13	14	15	16 Coupons de viande 43 Valables	17	18
19	20	21	22	23 Coupon de beurre 54 Coupons de viande 44 Valables	24	25
26	27	28	29	30 Coupon de sucre 29 Coupon de beurre 55 Coupons thé-café E5, E6 Coupons de viande 45 Valables	31 Coupons de beurre 50, 51, 52, 53 Expirent Coupons de viande 39, 40, 41, 42 Expirent	

UN COUPON, DE CONSERVES EST BON POUR : 12 onces liquides de confiture, gelée, marmelade, beurre d'érable, beurre de miel, sauce d'atocas ou fruits pour bars de rafraîchissements; ou 2 liv. de sucre d'érable; ou 20 onces liquides de fruits en conserve; ou 24 onces liquides (2 liv. net) de miel extrait; ou 2 rayons réguliers ou 2 liv. (net) de miel en gâteaux; ou 15 onces liquides de sirop de maïs, sirop de canne ou sirop mélangé de table; ou 40 onces liquides (1 pinte) de sirop d'érable; ou mélasse; ou ½ livre de sucre.

Coupons de rationnement.

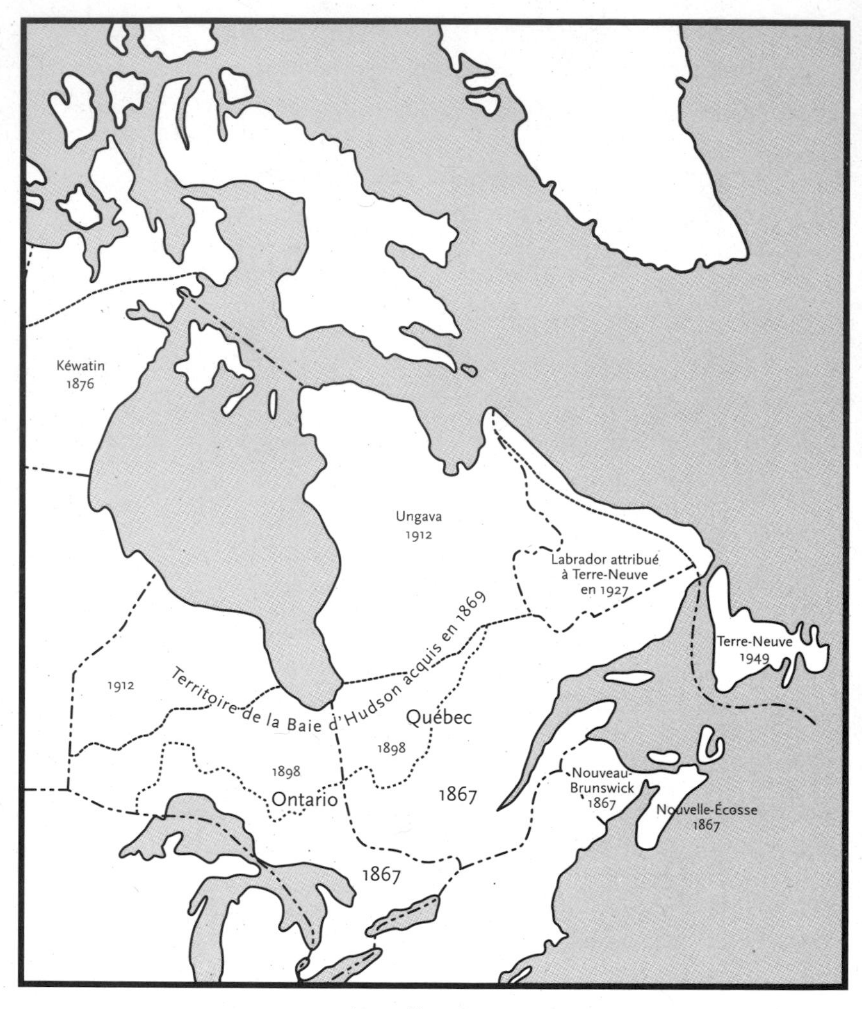

La Province de Québec à partir de 1867.

La naissance d'une société nouvelle

La fin de la guerre signifie le retour des hommes et des femmes qui, à divers niveaux, ont participé directement au conflit. Ils reviennent avec une autre conception du monde et de la vie. Ils ont « vu du pays ». Leurs horizons se sont élargis, même si, avant la guerre, le Québec n'était pas refermé sur lui-même. Leur retour s'effectue à un moment où l'industrie de guerre doit se transformer. Les femmes qui travaillaient dans les usines reliées à la fabrication d'armements sont sans doute celles qui ressentent le plus les conséquences de la fermeture de plusieurs manufactures. Heureusement, la fin des restrictions signifie un développement rapide de la construction résidentielle. Les économies réalisées durant la période de guerre permettent à plusieurs de se procurer des appareils ménagers neufs.

Entre 1941 et 1951, la population de la province de Québec croît de 21,7 pour cent. Celles et ceux qui avaient retardé leur mariage se marient en grand nombre avec le retour à une situation normale. Le nombre de naissances vivantes connaît un bond. Si, en 1941, on en avait dénombré près de 91 000, il y en aura 113 500 en 1946 et plus de 138 600, environ

10 années plus tard. Plus du quart de la population aura 10 ans et moins. On parlera d'un *baby boom*, ce qui signifie non pas que le nombre d'enfants par famille augmente, mais plutôt qu'il y a plus de femmes qui donnent naissance à des enfants.

La population du Québec augmente non seulement grâce aux naissances, mais aussi à la suite d'une forte immigration. La situation de guerre avait signifié la fermeture quasi complète des ports aux nouveaux citoyens. L'origine de ces derniers s'élargit. Les îles britanniques fournissent moins d'immigrants, alors que des pays comme l'Italie, l'Espagne ou le Portugal prennent de l'importance. La ville de Montréal demeure le centre d'attrait de ceux qui arrivent au Québec. Depuis la fin du mois d'août 1944, l'Union nationale dirigée par Maurice Duplessis est au pouvoir. L'autonomie provinciale figure au premier plan de la politique de ce gouvernement. En 1946, au retour d'une conférence fédérale-provinciale, Duplessis déclare: « L'autonomie de la province, les droits de la province, c'est l'âme d'un peuple, de la race, et personne ne saurait y porter atteinte. Ce sont ces droits et ces prérogatives qui nous permettent d'élever nos enfants dans la langue française et la religion catholique. [...] Nous avons dans la Confédération une place de premier choix. Nous sommes une minorité par le nombre, mais une majorité par le droit d'aînesse. La province de Québec demande le droit de vivre et d'assurer sa survivance. » Pour certains, l'autonomie provinciale à la saveur duplessiste est vide de sens et n'est qu'un mot!

À l'instar de quelques autres provinces, Duplessis décide de donner à « sa » province un drapeau distinctif, d'autant plus que certains nationalistes font campagne depuis quelque temps à ce sujet. Le 21 janvier 1948, par arrêté en conseil, le fleurdelisé devient le drapeau officiel du Québec, avec ses quatre fleurs de lys et sa croix blanche qui rappellent son origine française. Pour un journaliste du quotidien montréalais *The Gazette*, l'adoption du drapeau n'est pas étrangère aux élections générales qui doivent avoir lieu quelques mois plus tard!

Tous ne sont pas d'accord avec la politique de l'Union nationale et surtout avec le climat qui règne au Québec. Le cinéma est toujours l'objet d'une censure sévère de la part d'un organisme gouvernemental. Les communistes et les Témoins de Jéhovah sont l'objet de mesures répressives. Le clergé catholique est toujours puissant et présent. En mars 1946, les évêques publient une lettre pastorale dans laquelle ils déplorent l'immoralité et l'immodestie qui, selon eux, ont envahi le Québec. Deux années plus tard, des artistes et des intellectuels dénoncent le climat d'oppression qui, selon eux, règne dans la province. Pour les signataires du manifeste *Le Refus global*, « le règne de la peur multiforme est terminé. Dans le fol espoir d'en effacer le souvenir, je les énumère : peur de soi – de son frère – de la pauvreté – peur de l'ordre établi – de la ridicule justice – peur des relations neuves – peur du surrationnel – peur des nécessités – peur des écluses grandes ouvertes sur la foi en l'homme – en la société future – peur de toutes les formes susceptibles de déclencher un amour transformant – peur bleue – peur rouge – peur blanche : maillon de notre chaîne. » Lors de sa publication, le manifeste a peu de retentissement, mais il est annonciateur de profonds changements qui surviendront plusieurs années plus tard.

L'affrontement avec le monde ouvrier sera beaucoup plus violent. Le gouvernement de Duplessis est connu pour son peu de sympathie envers les syndicats ouvriers. Pour le premier ministre, qui occupe aussi le poste de procureur général, certaines unions sont noyautées par des communistes. Lors de la grève à la Montreal Cotton Limited de Valleyfield, il déclare : « Le gouvernement actuel ne tolérera jamais les procédés de la propagande communiste qui est encore plus dangereuse pour la santé publique que la tuberculose peut l'être pour la santé de l'individu. »

La grève la plus marquante de l'époque duplessiste est, sans aucun doute, celle dans les mines d'amiante en 1949. Même si leur santé est menacée par la silicose, les ouvriers font de leur demande salariale la base de leurs revendications à la Canadian Johns-Manville d'Asbestos. Les affrontements entre grévistes et forces de l'ordre se multiplient. Le conflit se dégrade et se prolonge. Des grévistes commencent à manquer de tout. Des collectes s'organisent dans plusieurs régions du Québec, avec l'appui de membres du clergé. Le chanoine Lionel Groulx prône une souscription nationale. « Ces grévistes, dit-il, ne sont pas des grévistes comme les autres. Ils ne se battent pas seulement pour le salaire et pour le manger. Ils se battent proprement pour la défense de leur vie et celles de leurs filles et garçons ouvriers dans une industrie meurtrière. [...] Le temps est venu de faire appel à toute la population. Toute la province a le devoir de faire cesser cette misère imméritée. » L'archevêque de Montréal, Joseph Charbonneau, intervient directement dans le conflit. Pour lui, « la classe ouvrière est victime d'une conspiration qui veut son écrasement et, quand il y a conspiration pour écraser la classe ouvrière, c'est le devoir de l'Église d'intervenir ». Une telle prise de position n'a pas l'heur de plaire au premier ministre Duplessis.

La décennie de 1950 sera marquée par d'autres grèves où la violence ne sera pas absente. Pour Duplessis, si les patrons doivent se comporter comme « de bons pères de famille », les ouvriers, quant à eux, doivent être patients, sinon soumis! L'ouverture de la Côte-Nord à l'exploitation du minerai de fer va amener des centaines de travailleurs à s'y installer. En 1946, la Hollinger North Shore Exploration obtient du gouvernement provincial un droit d'exploitation minière d'une durée de 80 années. En 1949, aux États-Unis, c'est l'incorporation de l'Iron Ore Company of Canada. Le fer de la Côte-Nord devient un centre d'attrait. Six années plus tard, la Quebec North Shore fonde la ville de Schefferville. Certains reprocheront à Duplessis d'avoir « vendu » la Côte-Nord à des entreprises minières pour la modique somme d'un cent la tonne de minerai. On oublie alors les autres clauses de la cession du droit d'exploitation qui représentaient d'importants revenus pour le gouvernement.

L'attitude de Duplessis au sujet de l'exploitation minière suscitera d'amers commentaires des éditorialistes du quotidien *Le Devoir* qui incarne l'opposition à l'administration en place. En 1950, cette opposition s'enrichit d'une nouvelle publication, la revue *Cité libre*. Parmi les collaborateurs et les membres fondateurs figurent Gérard Pelletier et Pierre Elliott Trudeau. Malgré son faible tirage, la publication aura une grande influence sur les intellectuels québécois. Dans le deuxième numéro de la revue, un collaborateur écrit: « Le catholicisme y [au Québec] est, non pas proposé, non pas enseigné, mais imposé, infligé, asséné. Dieu, cet être tout amour dont on ne saurait s'approcher que dans la liberté de son cœur, est injecté comme un sérum. Meurs ou crois : voilà bien où nous en sommes encore. » De tels propos n'étaient pas pour rendre la nouvelle publication sympathique aux yeux du clergé catholique.

L'avènement de la télévision de Radio-Canada, en 1952, sera, lui aussi, un élément de changement dans l'opinion publique. Par l'image, le monde entre de plus en plus dans un grand nombre de foyers. L'entrée en ondes, en 1961, de Télé-Métropole signifiera une présence plus populaire de la culture québécoise dans son sens le plus large. En 1945, Duplessis avait d'ailleurs prévu l'importance que prendrait la radio. Il avait alors fait adopter une loi créant Radio-Québec, sans que rien de concret n'en découle toutefois.

Le monde de la culture et de l'éducation est secoué avec la publication, le 1er juin 1951, du rapport de la Commission royale d'enquête sur l'avancement des arts, lettres et sciences au Canada, présidée par Vincent Massey, le chancelier de l'Université de Toronto, et par le dominicain Georges-Henri Lévesque, doyen de la Faculté des sciences sociales de l'Université Laval, une des bêtes noires de Duplessis. Dans leur rapport, les commissaires font une distinction entre l'enseignement et la culture. Si la première est du domaine provincial, la seconde appartient aux divers niveaux de gouvernement. Pour eux, les universités canadiennes sont les principaux centres de culture. En conséquence, elles peuvent être l'objet d'une politique fédérale et de subventions versées par le gouvernement central. Ottawa offre donc de financer les universités, ce que ne peut accepter le gouvernement de l'Union nationale. Commence alors la guerre des subventions. La recherche d'un terrain d'entente échoue. Le 16 février 1953, Duplessis déclare : « Cette année et à l'avenir, nous n'accepterons pas qu'Ottawa subventionne l'enseignement, domaine qui nous est trop cher. Le nouveau budget d'Ottawa prévoit encore des crédits pour nos universités. Nous ne les accepterons pas. » Il faudra attendre les gouvernements d'Antonio Barrette et de Jean Lesage, en 1960, pour qu'une solution « honorable » soit trouvée.

Si les autres provinces n'ont pas trop de réticences à voir le gouvernement fédéral pénétrer dans certains champs de leur compétence, il n'en va pas de même pour le Québec qui se considère comme une société distincte. En 1954, le premier ministre libéral du Canada, Louis Stephen Saint-Laurent, rappelle que sa province d'origine n'est pas différente des autres provinces : « On dit que la province de Québec n'est pas une province comme les autres. Je ne partage pas cette opinion, je crois que la province de Québec peut être une province comme les autres. [...] Aussi longtemps que j'y serai, le gouvernement fédéral ne reconnaîtra pas que les provinces sont plus importantes que l'ensemble du pays. » L'année 1954 marque un jalon important dans la petite guerre qui oppose le gouvernement provincial à celui d'Ottawa : le premier décide de créer un impôt provincial. Une entente sur le pourcentage de l'impôt qui reviendra au Québec interviendra seulement en février 1956.

Plus les années passent, plus on se rend compte non seulement que le gouvernement de l'Union nationale prend de l'âge, mais aussi qu'il nage dans un patronage de plus en plus visible. Pour obtenir des contrats du gouvernement, il faut verser une commission au parti. Les libéraux connus n'ont aucune chance d'occuper des postes au sein de l'administration publique. Le favoritisme règne en maître. Lors d'élections, on parle d'achat des votes et de personnification de voteurs absents ou décédés, « les télégraphes ». En 1956, à la suite des élections générales qui ont reporté au pouvoir l'Union nationale, deux prêtres, Louis O'Neill et Gérard Dion, publient à l'intention de leurs confrères une lettre incriminante. « Le déferlement de bêtise et l'immoralité dont le Québec vient d'être témoin, écrivent-ils, ne peuvent laisser indifférent aucun catholique lucide. Jamais peut-être ne s'est manifestée aussi clairement la crise religieuse qui existe chez nous. Jamais nous fut fournie une preuve aussi évidente du travail de déchristianisation qui s'opère dans les masses populaires. » Il est vrai que, déjà à cette époque, on avait commencé à noter une baisse de la pratique religieuse, une baisse qui annonçait ce que le Québec vivrait au milieu des années 1960.

Duplessis est de plus en plus un homme seul. L'éclatement d'un scandale en 1958 impliquant plusieurs de ses ministres lui laisse l'impression qu'il a été trahi. Le 7 septembre 1959, à Shefferville où il s'était rendu pour visiter les installations minières de l'Ungava, il meurt subitement. Pour plusieurs, ce départ est la fin d'un règne, la fin de ce que les libéraux et certains collaborateurs de la revue *Cité libre* avaient qualifié de « Grande noirceur ». Une noirceur que des études récentes commencent à éclairer. On ne peut nier que Duplessis ait agi de façon très autoritaire, qu'il n'aimait pas les syndicats, qu'il considérait les communistes et les Témoins de Jéhovah comme une menace pour la société catholique canadienne-française. Il appréciait certes une certaine soumission de la part de membres du haut clergé. Il s'était vanté que « des évêques mangeaient dans sa main ». Mais, sur le plan positif, il a jeté les bases d'une infrastructure qui a permis la mise en place, sous le gouvernement libéral de Jean Lesage, d'un système scolaire et hospitalier plus moderne. Sous le gouvernement de l'Union nationale, on a construit des centaines d'écoles et des dizaines d'hôpitaux qui seront d'une grande utilité lors des réformes subséquentes. L'attitude de Duplessis face au monde des affaires a permis au libéralisme économique de se développer et d'assurer une certaine prospérité au Québec. À son décès, la dette publique de la province de Québec était à peu près inexistante.

Le 11 septembre 1959, Paul Sauvé devient le 21e premier ministre de la province de Québec. Il prend une lourde succession. Mais il veut se démarquer de son prédécesseur. Son règne ne durera que 113 jours, mais il fera naître beaucoup d'espoir. Son décès subit apparaît, à plusieurs, comme une tragédie. Le passage d'Antonio Barette laissera peu de marques. Des élections générales sont fixées au 22 juin 1960. Jean Lesage, à la tête du Parti libéral provincial depuis deux années, sent que le temps est venu pour que « ça change », comme l'affirme le slogan de sa formation politique. Il réussit à recruter d'excellents candidats, comme le journaliste et vedette de télévision René Lévesque et l'avocat Paul Gérin-Lajoie qui formeront les piliers de « l'équipe du tonnerre ». Le programme du Parti libéral a été rédigé en majeure partie par Georges-Émile Lapalme. On y promet la création d'un ministère des Affaires culturelles, « la gratuité scolaire à tous les niveaux de l'enseignement, y compris celui de l'université », la création d'une commission royale d'enquête sur l'enseignement, la création d'un conseil d'orientation économique et d'un ministère des Affaires fédérales-provinciales, etc.

La campagne électorale est assez rude et elle se termine par la victoire du Parti libéral. Comme le nouveau premier ministre a déjà siégé en tant que ministre à Ottawa, quelques-uns croient que ce sera la fin de l'autonomie provinciale. Un mois à peine après son assermentation, Lesage participe à une conférence fédérale-provinciale et il en profite pour préciser son orientation. Il revendique pour le Québec « la pleine souveraineté dans les domaines qui relèvent de sa compétence ». Malgré tout, les relations entre les deux niveaux de gouvernement s'améliorent et, en 1960, le Québec accepte d'adhérer au plan fédéral d'assurance hospitalisation. Mais le gouvernement Lesage tient à affirmer à l'extérieur de ses frontières l'extension des domaines de sa compétence. Ainsi, en 1961, il établit des délégations générales à New York et à Paris. L'année suivante, une nouvelle délégation s'ouvre à Londres.

À la fin des années 1950 et au début de la décennie suivante, le nationalisme canadien-français connaît une profonde mutation. Certains de ses éléments se prononcent ouvertement pour l'indépendance de la province de Québec. En 1957, Raymond Barbeau avait mis sur pied l'Alliance laurentienne. Son fondateur précisera, plus tard, l'objectif visé : « L'Alliance laurentienne est un mouvement patriotique fondé le 25 janvier 1957 en vue de propager l'idée de l'indépendance du Québec et de proclamer la République de Laurentie. » Pour lui, « l'État laurentien sera une République unitaire, démocratique, corporative, communautaire et d'inspiration chrétienne ». La nouvelle formation sera considérée par plusieurs comme étant réactionnaire de droite. Tout à l'opposé sera le groupement des indépendantistes de gauche regroupés autour de Raoul Roy et de la *Revue socialiste*. Ce groupement veut la libération des Canadiens français qui « forment un peuple colonial opprimé ». Plus populaire sera le Rassemblement pour l'indépendance nationale créé en septembre 1960. Le mouvement se veut un groupe de pression et non pas un parti politique, ce qu'il deviendra quand même avec le temps. Les objectifs du RIN sont précisés, le 24 juin 1961, par le vice-président Marcel Chaput : « Pour la reconnaissance du français comme seule langue officielle et obligatoire au Québec – pour une représentation de l'État du Québec aux Nations unies, au Vatican et dans les grandes capitales du monde – [...] pour une maîtrise complète des destinées économiques et des ressources naturelles du Québec en fonction de ses intérêts supérieurs – pour la sauvegarde véritable et effective des groupes minoritaires en voie d'assimilation – pour la jouissance de tous les droits et de toutes les prérogatives des Nations libres – pour une Politique de Grandeur française à l'échelle de l'Amérique du Nord et du Monde. Une seule solution L'INDÉPENDANCE. »

Les indépendantistes emploient de plus en plus l'expression « État du Québec » plutôt que « province de Québec ». Jean Drapeau, qui avait été maire de Montréal de 1954 à 1957 et qui le sera à nouveau à partir de 1960, avait déjà utilisé l'appellation en mars 1959, en déclarant: « Bâtir enfin l'État du Québec, fort et sûr de lui, dynamique et rayonnant, voilà la grande tâche à laquelle nous sommes appelés. »

Dès les premières années du gouvernement libéral, on sent que le premier ministre et son ministre René Lévesque n'ont pas la même vision de l'avenir du Canada. Pour le premier, « les préoccupations des Québécois ne se limitent pas à leur propre province. Ils croient également avoir un rôle à occuper dans notre pays, mais ils tiennent à prendre la place qui leur revient et non celle qu'on veut bien leur faire », déclare-t-il en juin 1962. Quelques mois auparavant, Lévesque avait confessé: « Je crois, peut-être à tort, que nous n'avons pas vitalement besoin de vous [le reste du Canada] et je crois que ce sentiment va grandir parmi les Canadiens français. »

À partir des années 1960, le Québec change à vue d'œil. On adoptera l'appellation « Révolution tranquille », mise de l'avant par un journaliste anglophone de Toronto, pour désigner les profondes modifications qui se feront sans choc violent. Sur le plan religieux, la fréquentation des églises diminue de façon notable. À partir de 1961, les prêtres du diocèse de Montréal ont la permission de se présenter en habit « civil ». Des centaines de religieux et de religieuses quittent leurs communautés. Les paroisses perdent l'influence et la présence qu'elles avaient dans le secteur des loisirs. « En 1965, écrit le professeur Gilles Routhier, au moment où la Révolution tranquille s'essouffle, la révision de la loi des fabriques inscrit sur le plan juridique cette évolution. Désormais, les paroisses n'auront plus le droit de prendre en charge des activités de loisirs. Elles devront se concentrer sur leurs missions propres, le culte et la pastorale. Elles devront fermer leur cinéma, se départir de leurs centres de loisirs et rendre aux municipalités les terrains de jeux (OTJ) dont elles étaient encore responsables. » Ce changement juridique correspond à une diminution de l'effectif du clergé paroissial.

Quelques années plus tard, des milliers de femmes cessent de pratiquer leur religion de façon active. Elles ne peuvent accepter les contraintes de l'encyclique *Humanae vitæ* du pape Paul VI, rendue publique le 29 juillet 1968. Le thème principal du document papal est le contrôle des naissances. C'est une condamnation de plusieurs pratiques en cours depuis plusieurs années. Le texte est clair : « Tout acte matrimonial doit rester ouvert à la transmission de la vie. » Même si certains théologiens déclarent que l'infaillibilité papale ne joue pas dans ce cas, les dénonciations et les rejets se multiplient. Des journaux, comme *Le Devoir*, publient des lettres de femmes qui ne peuvent accepter que leur liberté soit ainsi brimée. Le monde occidental, il faut se le rappeler, vit alors une période de libération sexuelle. C'est l'époque du « peace and love ». « *Humanæ vitæ*, écrit l'historien Jean Hamelin, provoque une autre hémorragie : de nombreux militants engagés dans des mouvements familiaux et dans l'action sociale décrochent. »

En 1964, la condition juridique des femmes a déjà fait un grand progrès. Elles ont alors acquis l'égalité avec leur conjoint dans la société matrimoniale. Elles ont obtenu la pleine capacité juridique, laquelle reste toutefois soumise au régime établi lors de la signature du contrat de mariage. Sous le régime de la séparation de biens, elles peuvaient signer des contrats et, entre autres, administrer leurs propres biens. C'est là une importante évolution : elles ne sont plus considérées comme des mineures. Quatre années plus tard, l'État reconnaîtra le mariage civil. Et, en 1969, le gouvernement fédéral modifiera l'article du Code criminel qui interdisait la publicité et la vente de produits contraceptifs.

Des laïcs, groupés au sein du Mouvement laïque de langue française, réclament l'école neutre. La question de la confessionnalité du système d'enseignement sera dans la mire des membres de la Commission royale d'enquête sur l'enseignement présidée par Alphonse-Marie Parent, vice-recteur de l'Université Laval. La commission sera connue surtout sous l'appellation de commission Parent. Sa principale recommandation sera la création d'un ministère de l'Éducation, lequel deviendra réalité avec l'adoption du *bill 60*, en mars 1964. Le système scolaire demeurera confessionnel. Pour rationaliser l'administration, on crée 55 commissions scolaires régionales catholiques et 9 protestantes qui verront à établir des écoles polyvalentes. La fréquentation scolaire au secondaire fera un bond, passant de 204 700 élèves en 1960-1961 à 591 700 dix ans plus tard. En 1967, ce sera la création des collèges d'enseignement général et professionnel, les cégeps, qui accueilleront les élèves qui viennent de terminer leur cours secondaire. Les cours, qui sont gratuits, sont terminaux pour ceux du secteur professionnel et donnent accès à l'université pour les autres. La réforme du système scolaire se complète avec l'ouverture des constituantes de l'Université du Québec.

René Lévesque, ministre des Richesses naturelles, réclame la nationalisation des compagnies privées productrices d'électricité. Même si le premier ministre Lesage est peu en faveur d'une telle mesure, il accepte de déclencher des élections générales dont ce projet sera l'enjeu fondamental. Le soir du 14 novembre 1962, Lesage jubile : « Il n'y a plus de maintenant ou jamais ; ce soir, c'est maintenant que nous devenons maîtres chez nous. » Le 1er mai de l'année suivante, Hydro-Québec devient propriétaire des principales compagnies productrices ou distributrices d'électricité.

Pour mieux contrôler son développement économique, le gouvernement Lesage crée la Société générale de financement qui « doit susciter et favoriser la formation et le développement d'entreprises industrielles et commerciales au Québec et inciter la population à participer au développement de ces entreprises en y plaçant une partie de ses épargnes ». Deux ans plus tard (1965) est constituée la Caisse de dépôt et placement, qui va jouer un rôle encore plus représentatif dans le développement du Québec. Elle est chargée de l'administration de « toutes sommes dont une loi prévoit tel dépôt ».

Une telle affirmation du Québec dans plusieurs domaines en amène certains à se poser des questions sur l'avenir de la « belle province ». D'autant plus que, de l'avis des membres de la Commission royale d'enquête sur le bilinguisme et le biculturalisme dont un des coprésidents est le journaliste André Laurendeau, « le Canada traverse la période la plus critique de son histoire depuis la Confédération. Nous croyons qu'il y a crise : c'est l'heure des décisions et des vrais changements ; il en résultera soit la rupture, soit un nouvel agencement des conditions d'existence ». Cette opinion, émise en février 1965, avait été précédée un mois auparavant, par le lancement d'un ouvrage écrit par Daniel Johnson, chef de l'Union nationale et de l'Opposition, dont le titre était *Égalité ou indépendance*. « La meilleure façon d'obtenir l'égalité pour la nation canadienne-française dans un Canada vraiment binational, écrivait-il, serait de préparer immédiatement les conditions de l'indépendance du Québec qui deviendra inévitable si une nouvelle constitution n'est pas adoptée. [...] Quant à moi, ajoutait-il, je préférerais que nous puissions en arriver à l'égalité par voie de négociation, sans passer nécessairement par l'étape de l'indépendance, qui comporte, il va sans dire, un certain nombre de risques assez difficiles à évaluer. »

De chef de l'Opposition, Johnson devient premier ministre du Québec le 5 juin 1966. Son accession au pouvoir n'est pas sans soulever certaines inquiétudes à Ottawa. La question de l'indépendance est à l'ordre du jour, d'autant plus que, depuis trois années, certains groupuscules utilisent la violence pour promouvoir l'idée. En octobre, Johnson sent le besoin de clarifier ses positions. « Si le Québec vient à se séparer du Canada, dit-il, c'est parce que nous y aurons été forcés. Aucun Canadien français ne souhaite au profond de lui-même s'enfermer dans un ghetto. » Peu après, Lesage, devenu chef de l'Opposition, renouvelle sa foi dans le fédéralisme : « Si le Québec accédait à l'indépendance, il lui arriverait ce qui arriva à plusieurs pays d'Afrique qui jouissent de l'indépendance politique, mais non pas de l'indépendance économique, à tel point que l'accession à l'indépendance a marqué pour eux une chute du niveau de vie. » Il ajoutera quelques mois plus tard en réponse à ceux qui le qualifient de « traître » : « Je n'accepte pas cette manière qui consiste à qualifier de traîtres ceux qui travaillent à promouvoir l'égalité au sein de la Confédération. »

À partir du milieu des années 1960, plusieurs Canadiens français vivant au Québec préfèrent s'appeler Québécois. Le 24 juillet 1967, ils se feront dénommer « Français canadiens » par le général Charles de Gaulle, en visite au Canada à l'occasion de l'Exposition universelle qui coïncide avec le centenaire de la Confédération. Au terme de son voyage de Québec à Montréal par le « chemin du Roy », de dernier prononce, du haut du balcon de l'hôtel de ville, ces mots qui résonneront longtemps : « Vive Montréal ! Vive le Québec ! Vive le Québec libre ! » À Paris, le 17 mai précédent, le président de la France avait déclaré à Daniel Johnson : « Je suis prêt à vous donner un coup de main qui vous servira pour l'avenir. » Voilà ! C'était fait ! Sauf que les conséquences n'avaient peut-être pas été prévues. Le Parti libéral du Québec tient une réunion spéciale au sortir de laquelle Jean Lesage précise que « notre parti n'est pas un parti séparatiste et [...] il continuera de consolider le statut particulier que nous avons commencé à bâtir ». L'affaire rebondit à la mi-octobre, lors du congrès annuel de la formation politique. Un mois auparavant, René Lévesque avait préparé un document de travail dans lequel il préconisait la souveraineté du Québec et son association avec le Canada. Une résolution présentée par Paul Gérin-Lajoie réaffirme la position du parti selon laquelle la solution serait une nouvelle constitution canadienne. Cette motion est acceptée et celle de Lévesque, rejetée. Ce dernier et ses partisans avaient déjà quitté la salle du congrès. Le mois suivant, c'est le congrès de fondation du mouvement Souveraineté-Association qui deviendra parti politique sous le nom de « Parti québécois », l'année suivante.

Le 25 juin 1968, Pierre Elliott Trudeau, chef du Parti libéral du Canada, devient premier ministre. Son opposition, autant au nationalisme canadien-français qu'à l'idée d'indépendance du Québec, laisse entrevoir des luttes épiques. L'année suivante, Trudeau fait adopter une loi déclarant que les langues française et anglaise seront officielles à tous les échelons de l'administration fédérale « là où le nombre le justifie ». La même année 1969, le gouvernement du Québec, dirigé par Jean-Jacques Bertrand, à la suite du décès subit de Daniel Johnson, adopte la « loi 63 » qui reconnaît aux parents le libre choix de la langue d'enseignement pour leurs enfants. Une telle mesure déplaît à ceux qui réclament que seule la langue française soit officielle sur le territoire québécois.

La politique linguistique du gouvernement Bertrand et le fait que le Parti libéral promette 100 000 nouveaux emplois expliquent, en bonne partie, la victoire libérale du 29 avril 1970. Au cours des mois précédents, le Québec avait connu plusieurs manifestations dénonçant la loi 63. Pour la première fois, le Parti québécois avait présenté des candidats aux élections. Son chef, René Lévesque, avait qualifié le Canada de « maison de fous, dans laquelle nous sommes ridicules, impuissants, diminués, réduits à brailler depuis un siècle et tragiquement ridiculisés par les vieux partis qui nous prennent pour des imbéciles en nous fabriquant de ces maudits slogans comme *Maîtres chez nous, Il faut que ça change, Québec d'abord* et maintenant *Québec au travail* et *Québec plus que jamais* ». Le jour des élections, même s'il obtient 23 pour cent des suffrages, le Parti québécois ne réussit à faire élire que 7 députés sur les 108 que compte l'Assemblée nationale.

Depuis deux années, le mot « national » est de plus en plus utilisé pour désigner des organismes gouvernementaux : en plus de l'Assemblée nationale, il y a la Bibliothèque nationale et les Archives nationales. Ce n'est que beaucoup plus tard que la ville de Québec sera désignée capitale nationale du Québec. Le mot « province » a complètement disparu dans le vocabulaire des gouvernants québécois. Seuls certains « fédéralistes » continuent à l'utiliser.

Peu après son arrivée au pouvoir, le Parti libéral du Québec, dirigé par le premier ministre Robert Bourassa, doit affronter une des crises les plus graves de l'histoire récente du Québec : la crise d'Octobre. Le 5 octobre 1970, des membres du Front de libération du Québec kidnappent James Richard Cross, l'attaché commercial du haut commissariat de la Grande-Bretagne à Montréal. Dans un communiqué rendu public trois jours plus tard, les ravisseurs lancent une invitation à la révolution : « Faites vous mêmes votre révolution dans vos quartiers, dans vos milieux de travail. » Et ils demandent la libération des felquistes et sympathisants emprisonnés qu'ils qualifient de « prisonniers politiques ». Quelques jours plus tard, une autre cellule felquiste entre en action et enlève le ministre Pierre Laporte qui sera « exécuté ». Entre temps, le gouvernement fédéral avait décrété l'entrée en vigueur de la loi sur les mesures de guerre, à la demande du maire de Montréal et du premier ministre Bourassa. Cela entraînera l'arrestation de centaines de personnes, dont la plupart n'avaient rien à voir avec le mouvement terroriste. Les partisans de l'indépendance du Québec seront parmi les premiers à se retrouver en prison, alors que l'*habeas corpus* avait été suspendu.

L'arrestation de plusieurs membres du Front de libération du Québec marque la fin du recours aux bombes et aux attentats. Par contre, sur le front syndical, les tensions sont de plus en plus nombreuses. Les trois grandes centrales, le Conseil des syndicats nationaux (CSN), la Fédération des travailleurs du Québec (FTQ) et la Centrale des enseignants du Québec (CEQ), prennent un virage à gauche. Un des thèmes exploités est significatif: « Ne comptons que sur nos propres moyens ». Au printemps de 1972, à l'occasion de négociations sur le renouvellement de conventions collectives avec le gouvernement du Québec, les trois centrales forment un front commun. Les débrayages se multiplient. L'Assemblée nationale adopte une loi décrétant le retour au travail. Les chefs des trois centrales décident que leurs membres n'obéiront pas. Ils seront mis aux arrêts et emprisonnés pour outrage au tribunal. Leur appel sera rejeté par les tribunaux. Ils recouvreront enfin la liberté après une détention de courte durée.

Après un peu plus de trois années au pouvoir, Robert Bourassa décrète des élections générales pour le 29 octobre 1973. Son projet du siècle, la construction de centrales hydroélectriques à la baie James, est en cours de réalisation. Le gouvernement fédéral refuse de participer au financement du projet. Pour le Parti québécois, c'est sa deuxième campagne électorale. Cette dernière permet à Bourassa de préciser sa conception de l'avenir du Québec: « Le séparatisme doit être rejeté parce qu'il condamne le Québec à des retards tragiques sur le plan de son développement et parce qu'il expose les Québécois, surtout les plus défavorisés d'entre eux, à subir d'irrémédiables blessures économiques et sociales. [...] Inacceptable dans ses conséquences économiques et sociales pour les Québécois, le séparatisme assorti d'une union monétaire est en conséquence parfaitement inutile pour le Québec puisqu'il le conduirait en pratique qu'à une souveraineté fictive, illusoire et éphémère, une souveraineté que les Québécois auraient très chèrement payée et qui n'est absolument pas nécessaire. » La campagne électorale se termine par une éclatante victoire du Parti libéral, qui réussit à faire élire 102 députés sur les 110 que compte l'Assemblée nationale. Lévesque ne réussit pas à se faire élire.

La question linguistique sera au cœur du deuxième mandat de Bourassa. Le 31 juillet 1974, la loi 22 « sur la langue officielle » est sanctionnée. Elle décrète que « le français est la langue officielle du Québec ». L'article 10 précise : « L'administration publique doit utiliser la langue officielle pour communiquer avec les autres gouvernements du Canada et, au Québec, avec les personnes morales. Toute personne a le droit de s'adresser à l'administration publique en français ou en anglais, à son choix. » En vertu de l'article 13, « le français et l'anglais sont les langues de communication interne des organismes municipaux et scolaires dont les administrés sont en majorité de langue anglaise ». Juste avant l'adoption finale du projet de loi, le député péquiste Jacques-Yvan Morin avait fait remarquer : « Cette loi, par son ambiguïté, loin de régler le problème linguistique, va aggraver les tensions au Québec. [...] Ce projet de loi consacre le statu quo et il le fait de façon ambiguë, à la manière de la situation existante. » Il est vrai que la partie de la loi qui touchait la langue d'enseignement n'était pas claire, car il est question de contingentement pour les allophones qui veulent envoyer leurs enfants dans des écoles de langue anglaise.

Consulté à savoir si le gouvernement fédéral entreprendra des démarches pour déclarer inconstitutionnelle la loi 22, le premier ministre Trudeau répond qu'Ottawa n'interviendra pas sur le sujet. Ce qui intéresse le plus ce dernier, c'est le rapatriement de la Constitution canadienne. La Confédération ayant été établie par une loi adoptée par le Parlement britannique, seul ce Parlement peut en modifier le contenu, à moins que, par une nouvelle loi, il en transfère le pouvoir au gouvernement du Canada. Mais le *hic*, c'est de savoir comment on modifiera le contenu de la loi de 1867. Devant la menace d'un rapatriement unilatéral mis de l'avant par Trudeau, Bourassa s'insurge contre une telle éventualité. « Le gouvernement du Québec, déclare-t-il, a plus d'une fois démontré son attachement à la valeur du fédéralisme canadien. Il n'accepte pas cependant qu'un rapatriement unilatéral de la Constitution par le gouvernement fédéral vienne remettre en cause les principes mêmes du fédéralisme. [...] Au surplus, le rapatriement pur et simple, c'est un rapatriement qui constitue, à toutes fins utiles, une fin de non-recevoir aux demandes répétées de tous les gouvernements québécois pour obtenir préalablement les garanties dont le Québec a besoin pour assurer le maintien de son identité culturelle. » Pour Trudeau, ce ne sera que partie remise.

À la mi-octobre 1976, la situation linguistique se détériore sur le plan scolaire. De plus en plus d'anglophones influents n'acceptent pas l'orientation du gouvernement Bourassa dans ce domaine. De plus, des pilotes francophones réclament le droit d'utiliser la langue française dans le ciel. Le premier ministre décide de faire un nouvel appel au peuple. Les élections générales sont fixées au 15 novembre. En tête du programme du Parti québécois, il y a l'indépendance du Québec qui suivrait la tenue d'un référendum sur la question. Cette étape obligée lui permet de récolter 41,4 pour cent des suffrages exprimés, ce qui se traduit par 71 députés péquistes. Les libéraux remportent 26 sièges et l'Union nationale, 11. René Lévesque ne peut contrôler sa joie. « Je n'ai jamais pensé que je pourrais être aussi fier d'être Québécois », déclare-t-il devant des milliers de partisans. « On va travailler de toutes nos forces à bâtir une patrie qui sera plus que jamais la patrie de tous les Québécois », ajoute-t-il. Pour le premier ministre Trudeau, « la population du Québec a voté, non pas sur des questions constitutionnelles, mais sur des options d'ordre administratif et économique, de sorte que M. Lévesque et son cabinet récoltent un mandat pour gouverner, non pas pour séparer le Québec du reste du Canada ». Le lendemain, à la Chambre des communes, il fait une mise au point: « Nous n'entendons négocier aucune forme de séparatisme avec quelque province. »

Pour plusieurs, l'heure du choix est arrivée!

Le dollar versus le pécu.

Une ère d'affrontements

L'AVÈNEMENT AU POUVOIR du Parti québécois crée des remous et sème l'inquiétude chez quelques financiers. Mais il n'y aura pas de fuites importantes. La Bourse ne s'effondre pas, même si plusieurs compagnies anglophones déménagent leur siège social en Ontario. Le 24 novembre 1976, le premier ministre Trudeau, dans un discours à la nation, tire les conclusions suivantes des récentes élections : « Le scrutin du 15 novembre au Québec a fait naître chez les uns beaucoup d'inquiétude, et chez d'autres beaucoup d'espoir. [...] Première constatation, la démocratie se porte bien au Québec, et voilà une très heureuse nouvelle. [...] Deuxième constatation, le Québec ne croit pas au séparatisme. Le Parti québécois a été battu en 1970 et en 1973, alors qu'il préconisait la séparation du Québec. Par contre, il a gagné en 1976 quand il a partout proclamé que l'enjeu n'était pas le séparatisme, mais bien la bonne administration de la province. Donc, les péquistes eux-mêmes ne croient pas que la séparation ait l'appui des Québécois et c'est pour moi une deuxième bonne nouvelle. Troisième constatation, les Québécois se sont choisi un nouveau gouvernement et non pas un nouveau pays. M. René Lévesque reconnaît n'avoir aucun mandat pour faire la séparation. » Pour le chef du Parti libéral du Canada, la vraie question qui se pose et la seule, c'est : « Qui, du Canada ou du Québec, peut le mieux assurer l'épanouissement des Québécois dans la liberté et dans l'indépendance ? » Le lendemain du discours de Trudeau, René Lévesque prête le serment d'office et jure de porter « vraie allégeance à Sa Majesté la Reine Élisabeth II, ses hoirs et successeurs, selon la loi ».

Le chef du Parti québécois ne cache pourtant pas sous le boisseau l'idée d'indépendance. Le 5 décembre, il réaffirme ses convictions : « Nous allons leur montrer aux ministres des Finances des autres provinces et du gouvernement fédéral que nous sommes prêts à jouer le jeu aussi longtemps que les besoins du Québec seront respectés, mais leur rappelant constamment que l'indépendance du Québec est notre but ultime. » Rapidement, un climat de tension se développe entre Québec et Ottawa. Trudeau laisse clairement entendre qu'advenant l'indépendance du Québec l'intégrité territoriale du « nouveau pays » n'est pas assurée. « Si le Canada est divisible, déclare-t-il, le Québec doit être divisible aussi. »

Une des premières mesures adoptées par le nouveau gouvernement concerne la langue française. Considérant le fait qu'environ 50 pour cent des immigrants qui arrivent au Québec ne parlent ni le français ni l'anglais, il semble urgent au ministre d'État au développement culturel, Camille Laurin, d'adopter une loi faisant du français la seule langue officielle. Sanctionnée le 26 août 1977, la Charte de la langue française stipule que le français devra être utilisé dans tout l'appareil gouvernemental, dans les relations de travail, dans l'affichage et par les associations professionnelles. De plus, les immigrants allophones devront obligatoirement envoyer leurs enfants dans des écoles francophones, sauf dans certains cas prévus par la loi. Surnommée « loi 101 », la Charte de la langue française modifiera passablement le visage du Québec. « Le Québec d'après la loi 101, écrit le sociologue Guy Rocher, ne pourrait plus jamais être le même. Tous les acteurs, tous les Québécois en prenaient conscience. La Charte de la langue française a produit des ondes de choc à tous les paliers de la société québécoise, au moment de son adoption et tout au long des années qui ont suivi jusqu'à ce jour (c'est-à-dire l'an 2000). Ces ondes de choc se sont répercutées bien loin hors du Québec. »

Au cours des années, la loi 101 sera modifiée ou amputée de certaines parties à la suite de décisions des tribunaux. En 1978, elle permet une plus grande utilisation de la langue anglaise dans les sièges sociaux de compagnies canadiennes ou internationales. L'année suivante, un jugement de la Cour suprême du Canada déclare inopérant le chapitre sur la législation et la justice. L'enchâssement de la Charte canadienne des droits et libertés dans la nouvelle Constitution, adoptée en 1982, signifie que des parents qui ne pouvaient envoyer leurs enfants dans des écoles anglaises pourront le faire à l'avenir. En 1993, sous un gouvernement libéral, l'affichage dans une autre langue que le français devient permis à la condition que le français occupe une place prédominante. Il faut croire que tout n'est pas réglé puisque, en 2000, le gouvernement péquiste crée la Commission des États généraux sur la situation et l'avenir de la langue française au Québec. Le rapport de la commission sera remis au mois d'août de l'année suivante.

L'adoption de diverses mesures, au cours du premier mandat du Parti québécois, comme l'assurance automobile, le financement des partis politiques, la protection du territoire agricole, la protection du consommateur, apparaît à certains comme une trop grande présence de l'État, alors que, pour d'autres, c'est un nouveau souffle d'une révolution tranquille qui n'était plus que chose du passé. La population sera appelée à se prononcer à savoir si l'État québécois doit s'orienter vers l'indépendance. Au mois d'août 1977 est déposé un livre blanc sur la consultation populaire. L'année suivante, le gouvernement fédéral adopte une loi-cadre sur le référendum.

Le 20 décembre 1979, la question référendaire est rendue publique. Sa formulation sera rébarbative pour plusieurs: « Le gouvernement du Québec a fait connaître sa proposition d'en arriver, avec le reste du Canada, à une nouvelle entente fondée sur le principe de l'égalité des peuples: cette entente permettrait au Québec d'acquérir le pouvoir exclusif de faire ses lois, de percevoir ses impôts et d'établir ses relations extérieures — ce qui est la souveraineté — et, en même temps, de maintenir avec le Canada une association économique comportant l'utilisation de la même monnaie. Aucun changement de statut politique résultant de ces négociations ne sera réalisé sans l'accord de la population lors d'un autre référendum. En conséquence, accordez-vous au gouvernement du Québec le mandat de négocier l'entente proposée entre le Québec et le Canada? Oui... Non... »

La campagne référendaire devient rapidement émotive. Au sein d'une même famille, il y aura des partisans du « oui » et des partisans du « non » ! Le Parti libéral, autant celui du Québec que celui du Canada, se prononce pour un « non ». À la mi-avril, à la Chambre des communes, Pierre Elliott Trudeau, qui est redevenu premier ministre après une brève interruption conservatrice, précise que « le Canada est un pays souverain et indépendant et [qu']il n'est pas question de négocier une association ». Le 20 mai 1980, le Québec vote « non » à 58,2 pour cent. Pour un René Lévesque déçu, « la balle vient d'être renvoyée dans le camp fédéraliste. Le peuple québécois vient nettement de lui donner une autre chance. [...] Tous ont proclamé que, si le non l'emportait, le statu quo était mort et enterré et que les Québécois n'auraient pas à s'en repentir ». Quant à Trudeau, il s'empresse de parler de changement : « C'est sur cette volonté de changement qu'il faut tabler pour renouveler la fédération canadienne et redonner à tous les Québécois, comme à tous les citoyens de ce pays, le goût d'être et de se proclamer Canadiens. J'espère que M. Lévesque acceptera de collaborer à cette œuvre de renouveau. »

Il s'agit donc de revoir en profondeur la Constitution canadienne et, pour ce faire, de procéder à son rapatriement. La question est de savoir si les premiers ministres se mettront d'accord sur les modifications à apporter avant ou après le rapatriement. La position québécoise se résume à trois points essentiels : « La nécessité de reconnaître le droit du Québec à l'autodétermination, la nécessité de construire cette nouvelle constitution canadienne sur la reconnaissance de la dualité canadienne et l'existence de deux nations, et enfin l'impérieux besoin pour le Québec de conserver ces pouvoirs vitaux qui lui permettent de sauvegarder son identité culturelle, particulièrement ses pouvoirs en matière d'éducation et de langue. » Avant même que les premiers ministres provinciaux ne se soient mis d'accord sur la façon de procéder, Trudeau annonce qu'il est prêt à procéder seul au rapatriement. Un genre de front commun se dessine alors entre huit provinces, dont le Québec. En l'absence du premier ministre du Québec, au cours de la nuit du 5 au 6 novembre 1981, les sept autres formulent une entente séparée. L'événement sera connu comme « la nuit des longs couteaux ». Trois jours plus tard, Lévesque annonce que le Québec se retire des conférences fédérales-provinciales, sauf celles qui concernent l'économie.

Au mois de mars de l'année suivante, le Parlement britannique approuve le « Canada Bill ». Le 17 avril, la reine Élisabeth II proclame l'entrée en vigueur de la nouvelle constitution, une constitution qui ne comporte pas de droit de veto pour le Québec, un Québec marginalisé qui vient de se faire imposer une constitution dont il devra s'accommoder !

En 1982-1983, le Québec, tout comme une bonne partie du monde occidental, traverse une grave crise économique. Le gouvernement fédéral diminue les montants versés aux provinces. Celui du Québec adopte une mesure qui lui fera perdre l'appui de plusieurs : une baisse importante des salaires versés aux fonctionnaires. Au sein du Parti québécois, la tension augmente à la suite de l'arrivée au pouvoir à Ottawa des conservateurs dirigés par Brian Mulroney, le 4 septembre 1984. Lors de la campagne électorale, Mulroney s'était engagé à faire en sorte que le Québec puisse adhérer à la nouvelle constitution « dans l'honneur et l'enthousiasme ». Lévesque avait vu là une ouverture intéressante. Il s'était dit prêt à courir « le beau risque », ce qui signifiait de mettre en veilleuse l'idée d'indépendance. « Pour la prochaine élection, écrit-il, la souveraineté n'a pas à être un enjeu ; ni en totalité ni en partie plus ou moins déguisées. » Devant l'imposition d'une telle orientation, quelques ministres et députés démissionnent de leurs postes. Le 20 juin 1985, c'est au tour de René Lévesque de démissionner. Ayant perdu plusieurs de ses membres les plus prestigieux, le Parti québécois perd les élections générales du 2 décembre suivant. Robert Bourassa redevient alors premier ministre du Québec.

À la demande du premier ministre Mulroney, le gouvernement Bourassa est amené à préciser les conditions posées par le Québec pour l'acceptation de la nouvelle constitution canadienne. Ces conditions sont au nombre de cinq : « La reconnaissance explicite du Québec comme société distincte ; la garantie d'obtenir des pouvoirs accrus en matière d'immigration ; la limitation du pouvoir fédéral de dépenser ; la reconnaissance d'un droit de veto du Québec ; la participation du Québec à la nomination des juges de la Cour suprême du Canada. »

Réunis au lac Meech, dans le parc de la Gatineau, les premiers ministres provinciaux et celui du Canada arrivent à un accord, le 3 juin 1987, concernant les demandes québécoises. Les considérants donnent un peu le ton des discussions : « Considérant qu'à leur réunion d'Ottawa ils ont conclu à l'unanimité un accord sur des modifications constitutionnelles propres à assurer la participation pleine et entière du Québec à l'évolution constitutionnelle du Canada et, par de nouveaux arrangements, à renforcer l'harmonie et la coopération entre le gouvernement du

Canada et ceux des provinces », les premiers ministres s'engagent à soumettre à leurs assemblées législatives le texte de l'entente et à autoriser « la modification de la Constitution du Canada par proclamation du gouverneur général sous le grand sceau du Canada ». Il est inscrit que « toute interprétation de la Constitution du Canada doit concorder avec : a) la reconnaissance de ce que l'existence de Canadiens d'expression française, concentrés au Québec mais présents dans le reste du pays, et de Canadiens d'expression anglaise, concentrés dans le reste du pays mais aussi présents au Québec, constitue une caractéristique fondamentale du Canada ; b) la reconnaissance de ce que le Québec forme au sein du Canada une société distincte ».

Trudeau, qui avait quitté la politique active le 30 juin 1984, se prononce contre l'accord qui sera signé quelques jours plus tard, dans un article publié dans le quotidien *La Presse*, édition du 27 mai 1987 : « Comme gâchis total, il serait difficile d'imaginer mieux. La vraie question à se poser, c'est celle de savoir si nous, Canadiens français vivant au Québec, avons besoin d'un gouvernement provincial doté de plus de pouvoir que les autres provinces. Pour ma part, je crois que c'est nous faire injure que de le prétendre. » Il est convaincu que, si le document constitutionnel est accepté par le peuple et ses législateurs, il « rendra l'État canadien tout à fait impotent. Dans la dynamique du pouvoir, cela voudrait dire qu'il sera éventuellement gouverné par des eunuques ». Et il termine son intervention en traitant le premier ministre Mulroney de « pleutre ».

Les divers gouvernements ont trois années pour ratifier ou rejeter l'accord intervenu au lac Meech. Comme les Parlements du Manitoba et de Terre-

Neuve n'acceptent pas l'accord, ce dernier devient caduc. Se sentant désavoué par ces deux gouvernements, Bourassa déclare : « Quoi qu'on dise et quoi qu'on pense, le Québec est, aujourd'hui et pour toujours, une société distincte, libre et capable d'assumer son destin et son développement. » Jacques Parizeau, alors chef du Parti québécois et chef de l'Opposition officielle, se lève dans un geste surprise et va donner la main à Bourassa disant : « Mon premier ministre, je vous tends la main. » Certains se demandent alors si le chef du Parti libéral ne se convertit pas tranquillement à l'idée d'indépendance.

Le 5 septembre suivant, l'Assemblée nationale est invitée à créer une nouvelle commission parlementaire qui doit se pencher « sur l'avenir politique et constitutionnel du Québec ». Le préambule de la loi créant la commission est dans la même veine que la déclaration de Bourassa lors de l'échec de l'Accord du lac Meech : « Les Québécois et les Québécoises sont libres d'assumer leur propre destin, de déterminer leur statut politique et d'assumer leur développement économique, social et culturel. » La commission Bélanger-Campeau, du nom de ses deux coprésidents, Michel Bélanger et Jean Campeau, devra remettre son rapport le 28 mars 1991.

La journée où la commission est créée, l'attention du public est beaucoup plus tournée vers ce qui se passe à Oka et également vers le pont Mercier qui est bloqué depuis plusieurs jours. Tout avait commencé lorsque le conseil de ville d'Oka avait annoncé un projet d'agrandissement d'un terrain de golf sur un territoire considéré comme sacré par les Mohawks, territoire qui aurait été un cimetière amérindien. Le 11 mars, des Mohawks traditionalistes avaient dressé une barricade à l'entrée d'un chemin qui conduisait à la pinède, là où se serait trouvé le cimetière. Rapidement, la situation se détériore. Le nombre de contestataires autochtones augmente grâce à l'appui de *Warriors* venus de l'extérieur. Les tribunaux sont appelés en renfort, mais les assiégeants refusent de se soumettre aux jugements de la cour. Les négociations entre le gouvernement de Robert Bourassa et les occupants échouent. L'armée canadienne est appelée pour briser les barricades et prendre la relève des membres de la Sûreté du Québec. Les « hostilités » cesseront officiellement le 26 septembre suivant, après avoir duré 78 jours. Au cours de la crise, un membre de la Sûreté du Québec sera tué d'une balle « perdue ».

La commission Bélanger-Campeau connaît quelques ratés. Les membres de la commission ne sont pas d'accord sur l'orientation à donner à leurs conclusions : devrait-on se contenter de la situation qui existe alors entre le gouvernement fédéral et celui des provinces, devrait-on exiger une refonte complète de la constitution existante, mettre au premier plan la souveraineté-association ou prôner une indépendance complète du Québec ? Au terme de ses travaux, la commission déclare que le *statu quo* est inacceptable. Il y a deux issues possibles : un complet renouvellement du fédéralisme qui devra être décentralisé ou la souveraineté du Québec. Pour faire suite à une des recommandations de la commission qui prône la tenue d'un nouveau référendum, l'Assemblée nationale adopte un projet de loi sur la tenue d'une consultation populaire qui devrait avoir lieu avant le 26 octobre 1992. Ce jour-là, deux consultations populaires se tiennent, une première exclusivement au Québec et l'autre dans les neuf autres provinces du Canada. Cinquante-sept pour cent des électeurs québécois et 54 pour cent des Canadiens rejettent une entente intervenue plutôt à Charlottetown. Dans six provinces, on a voté majoritairement pour le rejet de l'entente. Deux mois auparavant, Jean Allaire, qui avait émis un rapport sur l'avenir du Québec, et Mario Dumont, de la Commission jeunesse du Parti libéral, avaient quitté cette formation politique à la suite de leur désaccord sur l'entente intervenue dans la capitale de l'Île-du-Prince-Édouard, reprochant à Bourassa d'avoir amoindri ses revendications.

Le 24 octobre 1994, des élections générales ont lieu au Québec et le Parti québécois reprend le pouvoir. Jacques Parizeau, le nouveau premier ministre, apparaît comme un personnage qui n'aime pas les compromis. Tel qu'annoncé, un nouveau référendum a lieu le 30 octobre 1995. Le 12 juin précédent, une entente était intervenue entre Lucien Bouchard, président du Bloc québécois, un parti politique formé en 1991 pour défendre l'idée de l'indépendance à la Chambre des communes, et Mario Dumont, chef de l'Action démocratique du Québec, sur une nouvelle consultation populaire. Le 20 septembre, une entente intervient sur la formulation de la question, qui est plus claire que celle qui avait été élaborée en 1980 : « Acceptez-vous que le Québec devienne souverain, après avoir offert formellement au Canada un nouveau partenariat économique et politique, dans le cadre du projet de loi sur l'avenir du Québec et de l'entente signée le 12 juin 1995 ? » Le vote a lieu le 30 octobre. Les résultats sont très serrés : 50,6 pour cent se prononcent pour le non et 49,4 pour cent pour le oui. La participation à la consultation populaire est très élevée, soit 94 pour cent des personnes inscrites sur les listes électorales, et le nombre de votes qui sépare les deux choix ne représente que 54 288 voix. Par contre, le nombre de bulletins rejetés est de 86 501, ce qui amènera des contestations devant les tribunaux. Les requérants feront valoir que ce sont surtout les bulletins de votation de personnes qui se prononcent pour le non qui ont été rejetés.

Pour le sociologue Charles Halary, « le style de la campagne souverainiste menée par le premier ministre Jacques Parizeau est directement responsable de la défaite référendaire de son option. L'accent mis sur le vote ethnique des Québécois "pure laine" a homogénéisé dans le refus de la souveraineté les non-francophones de la région de Montréal et encouragé la fidélité à une fédération canadienne par ailleurs considérée comme insatisfaisante chez les francophones soucieux de maintenir des ensembles politiques plus universalistes. » D'autres historiens et sociologues tiennent à souligner l'augmentation du nombre des « oui ».

Le soir de la tenue de la consultation populaire, le premier ministre Parizeau met l'accent sur le vote des allophones, des gens riches et autres en faveur du non. Devant le tollé soulevé par sa déclaration, il donne sa démission et Lucien Bouchard, devenu très populaire lors de la campagne référendaire, prend la direction du Parti québécois et devient le nouveau premier ministre du Québec. Face aux résultats du référendum, le premier ministre libéral Jean Chrétien, au pouvoir depuis 1993, adopte la ligne dure. Le Québec ne pourra s'attendre à aucune concession constitutionnelle de la part du gouvernement fédéral.

Aussi bien au niveau fédéral qu'au niveau provincial, l'obsession du déficit zéro figure au premier plan des préoccupations gouvernementales au cours de la seconde moitié de la décennie 1990. Il est vrai que les dettes publiques avaient atteint des niveaux astronomiques. Le budget de l'année financière 1998-1999, présenté par Bernard Landry, ministre québécois des Finances, fera dire à l'économiste Germain Belzile: «Pour la première fois en 40 ans, les finances publiques québécoises se sont avérées équilibrées». Mais cet équilibre a été rendu possible grâce à des compressions importantes surtout dans le domaine de la santé et celui de l'éducation. Chez plusieurs personnes, la pauvreté est devenue de plus en plus difficile à supporter.

Au début du XXIe siècle, la majorité des Québécois et des Québécoises demeurent divisés sur l'avenir du Québec. Lors des élections générales fédérales du 27 novembre 2000, le Bloc québécois perd des circonscriptions au profit du Parti libéral. Moins de deux mois plus tard, soit le 11 janvier 2001, le premier ministre péquiste du Québec, Lucien Bouchard, remet sa démission, en bonne partie à cause de l'absence de conditions gagnantes dans un troisième éventuel référendum. Bernard Landry lui succède à la tête du gouvernement. Mais, à la mi-avril 2003, il perd le pouvoir aux mains des libéraux dirigés par Jean Charest. Entretemps, même si une entente, appelée la Paix des Braves, était intervenue avec les Cris l'année précédente, la tension devient de plus en plus forte entre certaines nations amérindiennes et le gouvernement du Québec.

Le 12 décembre 2003, à la suite du départ de Jean Chrétien, Paul Martin devient le 21e premier ministre du Canada. Le 19 février 2004, il annonce la création de la Commission d'enquête sur le programme de commandites et les activités publicitaires. La présidence de la commission est confiée au juge John Gomery. Rapidement, l'opinion publique se passionne pour les audiences de la commission. On apprend que le gouvernement libéral de Jean Chrétien a consacré des sommes considérables pour faire la promotion du Canada et pour influencer la votation lors du référendum du 30 octobre 1995. Le premier rapport officiel sera publié le 1er novembre 2005. Il y aura bien quelques condamnations, mais le haut personnel politique se verra encourir des blâmes qui seront rejetés par un juge de la Cour fédérale, le 26 juin 2008. Ce dernier invalide les conclusions du rapport du juge Gomery qui blâmait le premier ministre Jean Chrétien et son chef de cabinet, Jean Pelletier. Le jugement ne concerne pas le « scandale des commandites » proprement dit relié à la promotion de l'unité canadienne. Le programme de 300 millions de dollars aura largement profité à quelques entreprises de communication proches du gouvernement libéral du Canada.

Au niveau fédéral, des élections générales ont lieu le 28 juin 2004. Les libéraux sont reportés au pouvoir, mais ils forment maintenant un gouvernement minoritaire. Au Québec, le Bloc québécois réussit à faire élire 54 députés et récolte 49 pour cent des suffrages. Quant au Parti libéral du Canada, il n'aura à Ottawa que 21 députés. Le 28 novembre de l'année suivante, le gouvernement dirigé par Paul Martin est renversé et de nouvelles élections sont fixées au 23 janvier 2006. Ce jour-là, les Canadiens se retrouvent avec un nouveau gouvernement minoritaire, mais cette fois c'est le conservateur Stephen Harper qui en est le chef. La Chambre des communes se compose alors de 124 conservateurs, 103 libéraux, 51 bloquistes, 29 néo-démocrates et un indépendant. Ce dernier est un ancien animateur radiophonique controversé de la région de Québec, André Arthur. Au Québec, les conservateurs réussissent à faire élire dix députés, dont sept pour la seule région de Québec.

La scène politique québécoise connaît de profonds changements à partir de 2005. Le 4 juin, Bernard Landry, insatisfait du 76 pour cent qu'il obtient lors d'un vote de confiance des délégués au cours d'un congrès de son parti, décide de démissionner de son poste de chef du Parti québécois. Rapidement, Pauline Marois et André Boisclair présentent leur candidature pour prendre la succession. Le 15 novembre suivant, ce dernier obtient le plus d'appuis, soit 53,68 pour cent des voix et Pauline Marois, 30,56 pour cent. Les six autres candidats ont une très mince récolte ! Le 20 mars 2006, celle qui avait occupé de nombreux postes de ministres au cours de sa carrière annonce son retrait de la vie politique.

Après quatre années au pouvoir, le premier ministre Jean Charest déclenche, le 21 février 2007, des élections générales qui doivent se tenir le 26 mars suivant. Une nouvelle formation politique fera la lutte en présentant 123 candidats, dont 65 femmes. Il s'agit du parti Québec solidaire, créé le 4 février 2006. Le parti est issu de la fusion de l'Union des forces progressistes et de l'Option citoyenne. L'originalité de la nouvelle formation réside dans le fait qu'elle possède deux porte-parole : Françoise David et Amir Khadir. Le soir du scrutin, les résultats donnent un gouvernement minoritaire. Il fallait retourner aux élections de 1878 pour voir la province dirigée par un gouvernement minoritaire ! Mais la grande surprise des élections générales, ce n'est peut-être pas que le Québec se retrouve avec un gouvernement minoritaire, mais le fait que l'Action démocratique du Québec (ADQ), dirigée par Mario Dumont, réussit à faire élire 41 députés, alors qu'elle n'en avait que 5 au moment de la dissolution.

Le parti de Jean Charest a fait élire 48 députés avec le tiers des voix exprimées. L'ADQ a obtenu 31 pour cent des suffrages et forme alors l'opposition officielle, devançant le Parti québécois, qui se retrouve au troisième rang avec 36 députés et 28 pour cent des voix. Du côté de Québec solidaire, aucun candidat n'est élu, mais le parti, pour sa première participation électorale, a quand même obtenu 3,64 pour cent des suffrages, légèrement moins que le Parti vert du Québec, avec 3,85 pour cent. Le 18 avril suivant, a lieu l'assermentation des nouveaux ministres du cabinet Charest, soit neuf hommes et neuf femmes, une première dans l'histoire du Québec. Les faibles résultats obtenus par le Parti québécois sont sans doute la principale raison qui incite André Boisclair à donner sa démission le 8 mai. Il sera remplacé à la tête de la formation par Pauline Marois, qui revient à la vie politique.

Aussi bien à Ottawa qu'à Québec, la question de la « nation québécoise » continue à susciter discussions et prises de position. Le 22 novembre 2006, la Chambre des communes, par un vote de 266 voix contre 16, adopte une motion reconnaissant que la population du Québec forme « une nation au sein d'un Canada uni ». C'est le premier ministre Harper lui-même qui avait déposé ladite motion.Il devançait ainsi la présentation d'une autre motion légèrement différente formulée par le Bloc québécois. Le 30 novembre suivant, l'Assemblée nationale, par une motion spéciale, prend note de la décision de la Chambre des communes. Ces prises de positions ne sont pas suffisantes aux yeux des membres du Parti québécois, qui met de l'avant une autre conception de l'identité québécoise. Le 20 octobre 2007, Pauline Marois présente un projet de loi en vertu duquel la citoyenneté québécoise supposerait une connaissance de la langue française chez les immigrants.

En matière d'immigration d'ailleurs, la venue grandissante d'immigrants professant diverses religions va soulever la question des « accommodements raisonnables ». Pour mieux connaître la situation exacte, le premier ministre Jean Charest annonce, le 8 février 2007, la création de la Commission de consultation sur les pratiques d'accommodement reliées aux différences culturelles. Le mandat de la nouvelle commission, dont la présidence est confiée à l'historien-démographe Gérard Bouchard et au philosophe Charles Taylor, est : « a) de dresser un portrait des pratiques d'accommodement qui ont cours au Québec ; b) d'analyser les enjeux qui y sont associés en tenant compte des expériences des autres sociétés ; c) de mener une vaste consultation sur le sujet ; et d) de formuler des recommandations au gouvernement pour que ces pratiques d'accommodement soient conformes aux valeurs de la société québécoise en tant que société pluraliste, démocratique et égalitaire. »

Pour ses diverses activités, la commission dispose d'un budget de cinq millions de dollars. Les services de divers spécialistes sont retenus pour faire des études plus pointues et des groupes-sondes sont formés ; des forums sont organisés et les commissaires parcourent le territoire québécois pour entendre les remarques et les revendications de groupes mais aussi de personnes. Le site Internet est visité plus de 400 000 fois. Les audiences se terminent le 14 décembre 2007 et le rapport final est déposé le 22 mai 2008.

Les commissaires mettent de l'avant la notion d'interculturalisme, pour faire, en quelque sorte, opposition au multiculturalisme. Sur la question de l'intégration, ils recommandent : « a) la reconnaissance des compétences et des diplômes des immigrants ; b) les programmes de francisation ; c) le besoin d'un effort accru pour régionaliser l'immigration ; et d) la nécessité d'une meilleure coordination entre les ministères. » Pour favoriser une plus grande compréhension culturelle, on prône une meilleure formation des agents de l'État qui travaillent dans tous les établissements publics, dont les écoles. Les conclusions des commissaires mettent aussi de l'avant la lutte contre les inégalités et la discrimination, la promotion d'une laïcité plus ouverte et la multiplication des pratiques d'harmonisation.

Les réactions à la publication du rapport des commissaires ne se font pas attendre. Certains dénoncent quelques-unes des orientations préconisées. D'autres souhaitent la mise au rancart pure et simple du contenu du rapport. Mais, chez plusieurs, des espoirs d'une meilleure compréhension naissent. Par contre, pour le premier ministre Charest, il n'est pas question d'une nouvelle constitution, ni d'enlever le crucifix qui orne un des murs de l'Assemblée nationale.

Une forte augmentation des coûts dans les domaines de la santé et de l'éducation complique aussi la gouvernance publique. On dénonce ce que l'on appelle « le déséquilibre fiscal » : alors que les provinces voient les dépenses en santé et en éducation augmenter sans cesse, le gouvernement fédéral a des surplus budgétaires de plus en plus imposants.

Un certain retour à la droite vient encore compliquer la situation générale. La question du mariage homosexuel, même si cette union est maintenant autorisée au Canada, demeure toujours d'actualité.

Plusieurs se demandent où s'en vont le Québec et le Canada !

Table

CE QUATRIÈME TIRAGE EST COMPOSÉ EN ARIES CORPS 11
SELON UNE MAQUETTE RÉALISÉE PAR JOSÉE LALANCETTE
ET ACHEVÉ D'IMPRIMER EN AOÛT 2008
SUR LES PRESSES DE MARQUIS IMPRIMEUR
À CAP-SAINT-IGNACE
POUR LE COMPTE DE GILLES HERMAN
ÉDITEUR À L'ENSEIGNE DU SEPTENTRION